KB076228

주재원에서 외노자로

주재원에서 외노자로 - 프랑스, 독일을 거쳐 이제 대만으로

발 행 | 2024년 7월 16일
저 자 | 소혜민
펴낸이 | 한건희
펴낸곳 | 주식회사 부크크
출판사등록 | 2014.07.15(제 2014-16호)
주 소 | 서울특별시 금천구 가산디지털1로 119 SK트윈타워 A동 305호
전 화 | 1670-8316
이메일 | info@bookk.co.kr

ISBN | 979-11-410-9548-2

www.bookk.co.kr

소혜민

주재원에서 외노자로

프랑스, 독일을 거쳐 이젠 대만으로

목차

Prologue

한세상 살아가다 보면 하고
누구나 그렇듯이 나의 이야기와 글을 각자의 현실에 맞춰 해석할 것이다.

심플라이프 작가, 제시카 로즈 윌리엄스

2023 년 10 월말일에 대만으로 이주를 했고 이젠 해가 바뀌어 2024 년 3 월이 되었다. 새로운 환경이라 처음엔 어색하기도 했지만 이젠 조금씩 조금씩 자리를 잡아가고 있는 것 같다.

프랑스에 주재원으로 파견을 나가게 되면서 우리 가족은 4 년이라는 시간을 프랑스에서 살았다. 모두가 부러워할 만한 프랑스에서 나름 행복한 생활을 했더랬다. 그렇게 시간이 흘러 우리 가족은 큰 아이의 진학 문제 때문에 한국으로 돌아왔고 난 갑작스런 제안으로 1 년을 더 독일 프랑크푸르트에서 홀로 주재원 생활을 했다. 그렇게 짧지 않은 기간 동안 해외 생활을 마치고 한국으로 돌아와 열심히 살았다. 하지만 문득 문득 해외 생활이 그리웠다. 해외 생활이 많이 그리워진 이후에는 여러차례 주재원을 신청했지만 번번히 낙방했다. 그렇게 한 살, 두 살 나이를 먹게 되면서 더 이상 주재원의 기회가 없다고 포기를 하고 있을 무렵, 갑작스레 대만 현지 회사에 채용이 되면서 해외 행이 급진전 되었다. 그렇게 난 외노자(외국인노동자)가 되었다.

호랑이 열정 장모씨의 약자를 별명으로 가지고 있는 집사람 호짱씨, 대학을 졸업하고 취업 준비 중인 태명이 장군이인 큰딸, 장군이와 아홉살 터울의 둘째 제리, 그리고 장군이와 열살 차이가 나는 막내 하늘이와 함께 했던 유럽생활.
이젠 장군이는 한국에 취준생으로 남고 제리와 하늘이는 엄마 호짱과 함께 대만으로 이민을 온 것이다. 아직 우리 가족은 중국어 한마디를 못한다. 하지만 스마트폰이라는 문명의 힘을 빌어 대만에 대해서 하나씩, 둘씩 경험 중이다. 지금부터는 새로운 도전의 시작이다. 그 얘기를 지금 시작해 보려 한다.

포레스트 검프의 초콜릿 박스 이야기처럼 내 인생의 두번째 초콜릿 박스는 이제막 열리지만 달콤한 맛일지 씁쓸한 맛일지 난 아직 모른다. 그게 인생이긴 하다. 다만 지금은 설레기보다는 걱정이 앞선다

기회는 갑작스럽게 다가왔다

지금도 가끔 우리 가족은 프랑스에서 살았던 시간을 기억하고 그리워하며 이야기를 나눈다. 파리의 16 구 우리가 살던 동네, American school of Paris 아이들이 다니던 학교, 산책도 하고 아이들이 놀기도 했었던 작은 톨스토이 흉상이 있던 공원을 기억하고 그때 찍었던 사진도 함께 보곤 한다. 여행을 다녀온 사람들이 가질 수 없는, 현지에서 살았기 때문에 할 수 있는 그런 기억들을 회상하는 것이다. 물론 관광으로 유명한 곳도 많이 다녔던 것 같고 프랑스 하면 빼 놓을 수 없는 와인도 꽤나 마셨다. 물론 내가 좋아하던 바게트와 치즈도 잊을 수가 없다. 좋아하던 레드 와인은 수입이 되지는 않는 저렴한 지역 와인이었다. 지금도 잊을 수가 없어 가끔 와인을 파는 곳을 지날 때면 내가 좋아했던 와인을 찾아보기도 한다. 물론 여행다녀온 사람들과 마찬가지로 유명한 관광지도 많이 갔었지만 거기에 살았기 때문에 마주해야 했던 많은 일들이 더욱 더 그립다. 그래서일까? 우리 가족은 다시 해외로 나가라고 한다면 언제든 나갈 준비가 되어 있었다. 막말로 당장 해외로 나가라고 한다면 바로 짐을 싸서 공항으로 갈 수도 있다고 말할 정도였다. 정말 운좋게 많은 사람들이 여행으로 다녀오기도 하고 또 가고 싶어하는 곳, 파리에서 4 년이라는 짧지 않은 시간을 살고 돌아왔다. 벌써 10 여년 전 이야기다. 우리 가족은 파리에서 그렇게 재미있게 살다가 4 년만에 귀국을 했다. 같이 돌아왔으면 더 좋았겠지만 회사의 명령으로 난 혼자서 1 년을 더 있었다. 독일 프랑크푸르트에서였다. 엊그제 같기만 하다.

파리에서 4 년 프랑크푸르트에서 1 년, 도합 5 년만에 한국으로 돌아온 후에는 바쁜 나날을 보냈다. 내가 태어나고 자란 곳이고 직장생활을 오랫동안 한 곳이지만 오랜만에 돌아온 난 적응할 것이 많았다. 업무도 그렇고 일하는 문화도 어딘가 모르게 변해 있는 듯 싶었다. 야근은 많이 없어지고, 휴일 특근도 별로 없었다. 거기에 새로 주어진 업무까지 쉽지 않은 날들의 연속이었다. 그렇게 한 동안 바쁜 나날들을 보내야 했기 때문에 다른 생각을 할 겨를은 별로 없었다. 그러다가 문득 다시 해외로 나가야겠다는 생각이 들기 시작한 것은 둘째가 중학생이 되었을 때 쯤으로 기억이 난다. 이유를 찾아보자면 이랬다. 우리나라의 교육 시스템에서 아이들을 구해주고 싶었다. 한놈은 공부를 곧잘 했고 한놈은 내 기대치에 미치지 못했다. 그렇기도 했고 내가 보냈던 고된 중고등학교 시절을 아이들이 겪는다는 것이 못내 마음에 들지 않았다. 거기에 큰놈 장군이가 수월하게 대학을 진학한 것이 가장 큰 이유 중의 하나다. 장군이는 해외에서 공부를 한 덕분에 재외국민특별전형이라고 불리우는 특례 자격을 통해서 다른 아이들보다 수월하게 대학에 진학했다. 그래서 둘째와 셋째에게도 같은 기회를 주고 싶었다. 다른 아이들보다 조금은 쉽게 대학을 진학할 수 있는 기회를 주고 싶었던 것이다. 거기에 추가로 재미있는 학창시절을 만들어주고 싶었다. 프랑스에서 경험해 본 국제학교에서의 시스템은 우리와 다른 부분이 참 많았다. 미국식 혹은 영국식 학교인지에 따라서 약간 차이가 있기는 했으나 한국처럼 고된 중고등학교 시절을 보내지 않아도 되었다. 사실 고되지만 공부한 것이 나중에 도움이 된다면 모를까 입시만을 위한 공부를 시키고 싶지는 않았던 것이다. 프랑스에서는 아이들이 학교 생활을 재미있어 했고, 특별히 학원을 다니지 않아도 되었으며 공부에 스트레스를 받지 않아도 되었다. 각각의 수업에 집중하고 숙제만 잘 하면 되었다. 물론 학교에서 해야 하는 다양한 활동들이 있긴 했지만 그런 활동들이 주는 스트레스는 잠못자고 공부해야 하는 한국과는 결이 다르다고 생각했다. 둘째 제리와 셋째 하늘이가 그나마 프랑스에서 유치원과 초등학교 저학년을 다니면서 배웠던 영어 실력이 녹슬지 않았다고 생각했기 때문에 가능한 일이었는지도 모르겠다. 아이들이 영어 때문에 받는 스트레스는 내가 고려를 해야 할 목록에는 없었다.

장군이가 받은 대학입학에 대한 특혜는 재외국민 특별전형이라는 것이었다. 부모와 함께 해외에서 최소 3 년 이상을 공부한 학생들에게 주어지는 일종의 특별한 기회다. 그 3 년 동안 엄마와 아빠가 함께 해외에 있어야 했다. 그리고 반드시 고등학교 1 학년

전체를 해외에서 수료를 해야 했다. 조건이 약간 까다롭긴 하지만 이해가 가긴했다. 해외에서 고등학교 1 학년을 마치고 한국으로 돌아와서 일반 고등학생들과 경쟁을 통해 대학에 들어가는 것은 거의 불가능하기 때문이다. 큰애 장군이는 앞서 말한 조건에 맞았기 때문에 특례입학 자격이 주어졌다. 그래서 영어와 국어 시험만 보고서 대학에 진학을 했던 것이다. 영어와 불어가 준 네이티브라는 라는 언어 능력을 추가로 갖고서 말이다.

직장생활을 하는 내가 해외로 나갈 수 있는 방법이라고는 주재원 밖에 없었다. 다 때려치고 이민으로 해외에 나가기에는 위험 부담이 너무나 컸다. 나이도 적지 않았을 뿐만 아니라 비용도 만만치 않았고 지금 하는 일을 할 수 있으리라는 보장도 없었다. 사실 이민은 겁이 났다. 그러니 방법이라곤 주재원이 유일했다. 이렇게 주재원으로 나가고자 하는 마음이 있었으니 최소한 시도는 해봐야했다. 회사에는 여러 나라에 작은 지역 사무소부터 연구소와 법인도 있었다. 개중에는 내가 나갈 수 있는 자리도 분명 몇 개가 있었다. 기회가 될 때마다 난 나가고 싶다는 의사를 밝혔다. 이미 해외의 경험이 있기 때문에 자주 최종 후보로 올라가기도 했다. 독일의 개발실장 자리, 인도의 연구소 팀장자리, 베트남의 개발 실장 자리 등이 있었다. 내가 할 수 있고 해 봤던 일들이라 자신도 있었다. 매번 기대를 했고 이번에는 내가 되지 않겠나 하는 얘기를 주변에서도 많이 듣기도 했다. 하지만 번번히 고배를 마셨다. 나이가 많다는 이유도 있었고 조직이 통폐합된 경우도 있었다. 여러차례 가능성이 꽤나 높다고 신청을 했지만 매번 희망 고문에 그치고 말았다. 그렇게 내가 나갈 자리는 없어지거나 하나 둘씩 다른 사람이 가로채가고 있었다.

그러다가 작년에는 계열사로 이동을 했다. 같이 일하던 상사가 끌어줘서 옮기게 된 것이다. 계열사 내에 새로운 조직을 만들어서 사업을 키우는데 기여해 보라고 했다. 매력적인 제안이었다. 내 전공인 소프트웨어쪽을 총괄하는 업무로 사실 내가 원했었던 분야였다. 그래서 여러 방면으로 조직 구상도 하고 우리가 헤쳐 나가야 할 일에 대해서 밑그림을 그리기도 했다. 그러면서도 난 내심 주재원 자리를 살펴봤다. 물론 그림을 그리던 자리가 매력적이었고, 직장 생활의 마지막을 장식할 좋은 기회라고 생각을 했다. 하지만 아이들을 위한 고민 때문에 주재원에 대한 희망을 놓지 않고 기회를 노렸던 것이다. 역시나 내가 나갈만한 자리가 있었다. 익숙한 독일에도 사무실이 있었다. 조만간 후임이 나가야 한다고 했다. 그래서 내심 독일로 나가는 것에 관심을 뒀다. 슬쩍 슬쩍 독일로 나가고 싶다는 뉘앙스를 풍겼다. 계열사로 옮기면서 받은 제안과는 다르지만 해외에서도 비즈니스를 키우는데 한몫 할 수 있다고 말이다. 분야는 다르지만 다양한 경험을 한 만큼 주재원에도 관심이 크다고 여러차례 얘기도 했었다. 나중에 들은 얘기지만 벌써 내정자가 있었다. 그것도 모르고 김칫국을 마셨던 것이다. 내정자가 새로 나가면 4 년 이후에나 다시 기회가 오게 되니 여기서는 나갈 수 있는 자리가 없다고 봐도 무방했다. 4 년 이후면 대학 특례 입학을 위한 아이들의 나이가 맞지 않으니 나갈 필요가 없기 때문이기도 하다.

그렇게 희망과 현실 사이에서 고민을 하던차에 오랜 직장 선배가 불러서 나간 술자리에서 다른 회사 추천을 받으면서 해외행이 급진전 되었다. 대만이었다.

이걸 면접이라고 할 수 있을까?

한 분야에서 몇 손가락 안에 드는 회사라고 했다. 그 회사의 부사장이라는 분을 만난다고 했다. 그리 높은 사람과 만나서 무슨 얘기를 하려는 것인지 당췌 감이 오지는 않았다. 이 술자리는 이전 회사에서 사수였던 분이 초대한 자리였다. 얼결에 나간다고는 했지만 어떤 이야기를 나눌지 기대반 걱정반이었다. 세계에서 몇 손가락 안에 드는 정도면 상당한 규모의 회사일 것은 분명했다. 말을 듣고서 긴장을 안 할 수가 없었다. 이전 사수였던 팀장님은 이젠 상무, 아니 사업부장이라고 불렀다. 이전 회사에서 상무로 계시다가 퇴사를 하셨는데 옮긴 회사에서는 사업부장이 되어 계셨다. 사업부장님은 술자리를 나한테 잡아보라고 했다. 그것도 강남에서 말이다. 난감했다. 잘 만나게 될 분의 성향도 전혀 모르는 상태에서 약속 장소를 잡아야 하는 것이다. 많은 고민을 하다가 강남 한복판에 있는 방이 있는 막회를 파는 선술집을 골랐다. 선술집이라곤 하지만 방이 있어서 꽤나 고급지지 않을까 했지만 일반 일식집 정도였다. 사업부장님은 다짜고짜 해외에서 일할 기회를 잡을 수 있다고 했다. 그런즉슨 마땅한 사람을 찾는다는 얘기였다. 부담없이 나오라고 했다. 해외에서 일을 할 수 있다는 얘기를 들었으니 부담없이 나갈 수 있는 자리가 아니었다. 토요일 저녁 강남에서의 약속이다.

청바지에 티셔츠를 입고 나갈 순 없었다. 비즈니스 정장, 그리고 얘기하진 않았지만 이력서도 하나 프린트 해서 주머니에 넣었다. 해외라고 하니 영문 이력서를 품고 그렇게 나갔다. 나중에 안 사실이지만 나 이외에 다른 한명이 더 있었다. 안면만 있는 아저씨였다. 이렇게 이전에 사수였던 사업부장을 포함해서 도합 네 명이 만나는 자리가 성사되었다.

오랜만에 나간 강남은 낯설었다. 10 여년 전에 사업부장과 술을 마시던 때와는 사뭇 달랐다. 처음 만난 부사장은 꽤나 젊어 보이셨고 인상도 좋았다. 술자리였기에 술을 마실 수 밖에 없었다. 하지만 취할 수는 없는 일이었다. 어떤 제안을 해 오실지 몰랐고 이것이 면접일지도 모른다는 생각에 말짱한 정신으로 말씀을 듣고 대답을 해야 했으니 말이다. 말씀하신 내용을 정리해 보면 이랬다. 자동차 관련 사업을 키우고 싶다고 했다. 1 조 정도의 매출을 추가 하기 위한 계획을 세우고 있다고 했다. 그래서 자동차 업계 경험을 가진 사람을 찾는다고 했다. 막회에 쇠주를 거나하게 먹으면서 세상 돌아가는 얘기에 가끔 일 이야기를 했다. 역시나 흥겹게 취할 수 없었다. 역시나 술 자리를 가장한 인터뷰 자리였기 때문이다. 주말에 강남 한복판에서의 술자리였지만 자리가 자리인지라 비지니스 케쥬얼에 쟈켓을 걸치고 안에는 프린트해간 영문 이력서를 품고 있었으니 편할 수가 있었겠나? 술을 마시기 전인지 헤어지기 전인지 나만 이력서를 건넸다. 많이 안 마시려 했지만 주량들이 보통이 아닌지라 술이 들어가면서 내가 갖고 있는 얘기는 모두 털어 놓긴 한 것 같다. 당장은 일본의 한 회사를 인수합병하기 때문에 내가 일할 곳은 일본이었고 소프트웨어 총괄을 맡아달라는 것으로 기울고 있었다. 하지만 내 직급이나 직위, 그리고 정작 해야할 일은 명확하지 않았다. 술자리에서의 얘기다보니 깊은 얘기를 할 수 없기도 했다. 조만간 인사팀에서 인터뷰 일정을 잡을 것이란 얘기도 했다. 하지만 술자리에서 나온 얘기들인지라 정말 추가로 인터뷰를 할 것인지는 확신이 들지 않았다. 그렇게 부사장님을 보내고 이전 보스를 떠나 보내고 이전 회사에서 안면만 있었던 동료와 지하철을 타러 가는 중 잠시 얘기를 할 기회가 있었다. 사실 둘 다 명확한 답변을 받은 것이 없었기 때문에 그다지 나눌 얘기가 많지는 않았다. 더우기 내가 잘 알던 제품군이 아니기 때문에 더더욱 난 아무런 결론을 내릴 수도 없었다. 조금 더 두고 봐야 하지 않겠나 싶다. 그러곤 그렇게 헤어졌다. 술때문인지 약간은 어지러움증을 안고서 말이다.

술자리에서의 분위기를 생각하면 바로 연락이 오겠거니 했지만 한동안 아무런 소식이 없었다. 한달이 다 되도록 연락이 없었다. 나이도 이젠 쉰이 넘었기에 역시나 이번에도 나이 때문에 안되나보다라고 생각을 했다. 그러고 있을 때쯤 에바라는 친구한테서 이메일이 왔다. 뜬금 없이 부사장님과 면접을 해야하니 일정을 잡아야 한다고 했다. 갑작스런 이메일과 이름도 알려주지 않은 부사장과의 인터뷰란다. 정말 뭔가 진행이 되는 것인가 하는 생각이 그때부터 들기 시작했다. 가능성이 보였다고나 할까? 그리고 과연 어떤 사람이 면접관으로 나올지 궁금했다. 영어로 인터뷰를 볼테니 자기 소개를 어떻게 해야 하나 이력서도 들춰 봤다. 몇 차례 이메일을 주고 받는 중에 알게된 사실인데 인터뷰를 보러 웹 미팅에 나올 분은 바로 술자리에서 만났었던 부사장이라는 것을 알 수 있었다. 같이 술을 마시면서 이미 얘기를 했지만 그것으로는 분명 부족했을 것이었다. 메모를 한 것도 아니니 공식 인터뷰가 필요하긴 하겠다라는 생각을 했다. 이미 얘기를 많이 했었는데 인터뷰 때에는 다시 처음부터 얘기를 해야하는 것인지 아니면 이런 저런 질문 위주로 인터뷰를 하실지 전혀 감이 잡히지 않았다. 은근히 스트레스를 난 받고 있었다. 그렇게 시간이 흘러 면접일 당일이 되었다. 배려를 해서 업무 시간이 아닌 때로 인터뷰 시간을 잡아주면 좋았으련만 평일 점심 시간에 면접이 잡혔다. 다행히 별다른 일이 없어 재택 근무를 신청을 했고 점심 시간에 인터뷰가 시작되었다. 대만과는 한 시간 차이가 나기 때문에 대만에서는 점심시간이 끝나고 바로 면접이 시작되는 것 같았다. 면접이 시작되자 인사팀에서 먼저 접속을 해서 간단하게 본인들 소개와 함께 부사장과 인터뷰를 보면 된다고 하고 빠져나갔다. 부사장과 나만 덩그러니 남았다. 혹시나 내 영어라도 평가하시려나 생각을 했지만 그렇지도 않았다. 그냥 편안한 대화가 이어졌다. 전에는 일본의 인수할 회사에서 일을 하는 것으로 얘기를 했었다면 이번엔 내 롤이 바뀌어 있었다. 인수합병이 생각보다 시간이 걸릴 것이라고 했다. 그래서 내 업무가 바뀌었다고 했다. 내 유럽 경험을 보고 유럽 비즈니스를 확대하는 역할을 맡으면 좋겠다는 내용이 면접의 주요 내용이었다. VP 급은 줄 수 없다고 했고 Director 급이 될꺼라고 했다. 급여를 포함한 보상 패키지 등은 인사팀과 얘기하라고 했다. 당장이라도 인사팀에서 연락을 할 것처럼 말씀하셨다. 내 기준에선 애들이 해외에서 공부할 수 있다면 좋겠다는 생각이 중요했기 때문에 보상 관련된 부분이 중요했는데 그 궁금증은 풀지 못하고 인터뷰가 끝났다. 인터뷰는 두 시간을 잡아놨지만 부사장은 술자리에서 말씀하신 내 업무가 바뀐 것에 대해서 이야기를 하고 바로 인터뷰를 마쳤다. 30 분 정도의 인터뷰가 다 였다. 사실 인터뷰 같지는 않았다. 영어도 아니었고 편안하게 대화를 나눈게 다 였다. 벌써 내가 어떤일을 할 것인지 내부 조율이 된 듯 했다. 이번엔 진짜 회사를 옮겨서 해외로 나갈 수 있게 되는 것인가 하는 생각이 들었다. 어쨌거나 긍정적인 신호를 주니 기분이 좋긴 했다. 연락이 바로 오겠거니 했다. 하지만 나의 예상은 보기 좋게 빗나갔다. 한동안 연락이 없었다. 5 월중순에 술자리, 6 월 15 일에 부사장님과 두번째 인터뷰, 그리곤 연락이 없었다. 바로 연락을 줄 것처럼 하더니 연락이 없었다. 김칫국만 마셔댄 것이 아닌가 하는 생각을 하지 않을 수 없었다.

예상외의 연락이 온 것은 그로부터 거의 두 달은 지난 후였다. 그 회사의 개발 부사장과 디렉터와 또 다른 두 시간의 인터뷰를 하자고 인사과를 통해서 연락이 온 것이다. 이건 뭘까? 내 롤이 유럽 사업 확대에서 또 바뀌어서 개발쪽이 되는건가? 실무면접 이라면 기술적인 질문을 해 올까? 부사장이 면접을 봤는데 이번엔 개발 부사장과 디렉터와 면접을 본다는 것이 어떤 의미일까? 이런 저런 생각을 했다. 지난번과 마찬가지로 평일에 두 시간 인터뷰를 하자고 해서 역시나 편하지는 않았다. 그것도 월요일 오후에 인터뷰였다. 회사 근처 카페에서 인터뷰를 할 수도 없어서 갑작스레 일이 생겼다고 핑계를 대고 집에 와서 인터뷰 준비를 했다. 인터뷰 시간이 채 한시간도 남지 않았을 때 부랴부랴 제출했던 이력서를 프린트 했다. 무슨 내용을 적었는지는 최소한 알아야 했기 때문이었다. 그나마 한국인 부사장님은 술자리에서 봤었기 때문에 얼굴이라도 낯설지 않았는데 개발쪽과의 인터뷰라니 나름 긴장을 할 수 밖에 없었다. 역시나 인사팀은 인터뷰가 시작되자마자 소개만 하고 나갔고 본격적인 개발의 임원들과 인터뷰가 시작되었다. 지금 돌아보면 인터뷰였음에도 내 경험을 부담없이 얘기하는 자리였다. 너나 나나 영어가 모국어는 아니잖아. 이런 마음도 없지 않아 있었다. 유럽 비즈니스 확대 쪽으로 내 업무는 정해진 듯 했다. 난 먼저 회사의 프로세스나 제품을 알아야 하기 때문에 타이완에서 근무를 시작하는 것이 좋겠다는 의견을 피력했고 그네들도 동의하는 듯 했다. 유럽으로 나가는 것은 좋았지만 거리가 문제였다. 어쨌거나 유럽의 사업 확장에 대한 롤이라니 나쁘지 않았다. 최근까지 해 오던 일이다. 아직 유럽 자동차 제조사와는 그다지 경험이 없는 듯 해서 재미있었던 에피소드를 중심으로 얘기를 해 줬다. 유럽에서의 경험에 대해서 많이 궁금해 하기도 했기 때문에 재미있는 경험을 위주로 이야기를 했다. 나도 능구렁이가 다 되어 있었다. 그렇게 두 시간을 하자던 인터뷰는 40 여분만에 끝이 났다. 이번 인터뷰는 나름 잘 본 것 같다고 생각했다. 근거없는 자신감이 밀려왔고 급여와 복리후생 조건만 맞는다면 옮겨야겠다는 생각까지 하게 되었다. 연세 지긋하신 부모님과 처부모님 생각이 머릿속을 어지럽게 했지만 말이다. 연락이 오긴 올텐데 과연 어떤 조건을 제시할지 기대가 된다.

OOOoooOOO

"소혜민!"
나를 부르는 소리에 고개를 돌렸다.
"혜민아 이리와봐!"
바쁘게 동료와 상의할 일이 있었다. 막 시작한 프로젝트 때문에 이런 저런 이야기를 하고 커피 한 잔을 들고 자리로 돌아오는데 팀장이 불렀다.
"니 해외 나가는거 관심 있나?"
갑작스런 질문이었다. 주재원으로 나가는 것에 대해 관심이 있느냐는 질문이었다. 왜 물어보나 싶었다. 왜냐하면 이미 내정자가 정해져 있었기 때문이었다. 100 여명 같은 층의 모든 사람이 누가 주재원으로 나가는지를 알고 있었다. 모두들 부러워했다. 나도 처음에는 부러웠다. 에펠탑, 개선문 그리고 멋진 프랑스라는 단어와 느낌적인 느낌이 있지 않은가? 그냥 부러웠다. 그러다가 내 몫이 아니라는 생각을 언제부턴가 하고나서는 그저 누군가 주재원으로 나가나보다 하고 있었다. 내 일이 아니니 그저 그런가보다 하고 있을 따름이었다. 그런 상황에서 팀장이 나에게 질문을 던졌다.

"나가면 좋을 것 같기는 합니다"

아무 생각없이 대답을 했다. 부러웠기 때문이다. 주재원은 많은 특혜를 받을 수 있는 장점이 있는 것만 알고 있었다. 이미 누군가 나가기로 되어 있는데 왜 물어보는지 난 이상하게도 의심하지도 않았다. 그래서 나가면 좋을 것 같다고 얘기는 했지만 지금 일이 많아서 주재원으로 나갈 수 있는 그런 처지는 사실 아니었다. 한참 바쁠 시기였기 때문이다. 새로운 프로젝트가 시작되어 눈코뜰새 없이 바빴다. 그런데 팀장은 이런 말을 하기 시작했다.

"그래? 그럼 주재원 나가려면 영어 성적이 있어야 하잖아? 니 점수는 얼마나 되나? 아니다. 내가 직접 찾아보면 되겠네. 알았다"

팀장은 본인이 질문을 하고 본인이 대답을 했다. 어디 주재원 자리가 났는지 물어보지도 않고 나는 내 자리로 돌아왔다. 그게 어제의 저녁 무렵의 일이었다. 사실 그러고 나서는 난 잊어버리고 있었다. 그런데 신경쓸 겨를이 없었기 때문이었다. 새로운 프로젝트가 시작되어

퇴근을 할 수 있느니 없느니 하면서 야근도 하는 마당에 그런걸 신경쓸 겨를이 어디 있었을까? 그런데 다음날 아침, 무언가 다른 분위기를 느낄 수 있었다.

'소혜민 책임이 프랑스 주재원으로 나간다며?'
이런 소문이 돌았다. 뭔 소리냐고 했다. 아니라고 난 손사래를 쳤다. 이미 나갈 사람이 정해져 있는데 무슨 소리냐고 했다. 팀장님에게 물어보려고 했지만 그날 오전 팀장은 자리에 없었다. 누군가 헛소문을 퍼트렸나보다 하고 무시할 수는 없었다. 어제 팀장이 물어본게 갑자기 생각이 났기 때문이었다. 그렇게 오전이 지나갈 즈음 어느새 자리에 돌아온 팀장이 나를 불렀다. 팀장에게서 소문의 진실을 들을 수 있었다. 이미 정해져 있던 친구 대신 내가 프랑스로 나가게 되었다고 했다. 뭔소린가 싶었다. 그런데 진짜였다. 원래 나가기로 했던 친구가 사정이 생겨서 다른 사람을 찾았었고 그게 내가 되었다는 것이었다. 그래서 어제 팀장이 나에게 주재원 관심이 있느냐고 물어본 것이었다.

나중에 안 사실이지만 원래 주재원으로 나가기로 했던 친구는 새로온 연구소장이 해외로 내보내지 않겠다고 한 모양이었다. 일 잘하는 친구를 해외로 내보내면 연구소장 본인이 그리는 그림에 기여할 수 있는 친구가 사라진다고 판단했던 모양이다. 새로온 연구소장과 주재원으로 내정되어 있었던 친구는 서로 전부터 알고 지내는 사이였다고 했던 것 같다. 그래서 그 친구는 다음 기회에 주재원을 나가기로 하고 남는다고 했다. 그야말로 난 어부지리로 기회를 얻게 된 것이다. 그때의 팀장님이 이번에 대만 회사의 부사장님을 소개해 준 사업부장이다. 날 프랑스로 나가게 해 줬던 팀장이 이번엔 대만으로 내 보내 주려고 하는 것이다.
뒷이야기를 들어보면 나만 모르고 있었던 일들이 더 있었다. 어떻게 알았는지 새로운 주재원 후보를 선정하기 전에 많은 사람들이 지원을 했었다는 것이다. 나만 모르고 있었다. 그런데 팀장 눈에 어떻게 잘 들었는지 내가 나가게 된 것이다. 그리고 주재원으로 나가기로 했던 사람이 갑자기 빠지게 되니 벌써부터 대타로 출장 대응을 하고 있던 친구가 있었다고 했다. 그 친구가 고객사와 무리 없이 일을 진행했다면 굳이 나를 내 보낼 필요가 없이 그 친구가 주재원으로 나가면 되는 것이었다. 그런데 그 친구는 영어를 잘 듣기는 했으나 말하는 것이 잘 안되었던 모양이다. 그 뿐만 아니라 본인이 주재원으로 나가겠다고 연구소장이며 프로젝트 리더들을 찾아 다닌 친구도 있었다고 했다.

이런 전후 상황을 난 전혀 모르고 있었다. 그냥 일만 디립다 하고 있었던 것이다. 그런데도 나에게 이런 좋은 기회가 찾아왔던 것이다. 사람의 일이란 정말 모를 일이다. 어느날 오후, 팀장이 불러서 몇

마디 물어본 그것이 면접이라면 면접이었다.

굿럭! 제발 잘한 선택이기를

내 나이 오십 초반에서 이젠 중반을 향해 달려가고 있다. 과연 잘 살았는지 내가 한 선택들이 최선이었는지, 최악은 아니었는지는 그 누구도 모른다. 다만 주어진 환경에서 최선을 다 하려고 노력을 했을 뿐이다. 누구나 그렇듯이 말이다. 사업부장님과 면담을 해야 했다. 얼마전에 강남에서 같이 술을 마셨던 예전 내 팀장이셨던 사업부장이 아니라 현재 내가 다니는 회사의 사업부장과 면담이 필요했다. 퇴사면담인 것이다. 사업부장은 내가 프랑스에 있을 때, 내 상사였다. 프랑스에 주재원으로 있었던 내 직속상사는 프랑스가 아니라 독일에 계셨다. 그리고 내가 독일로 간 것은 직속상사가 승진을 해서 한국으로 귀임을 하면서 공석 생겼기 때문이었다. 그 자리에 내가 승진하면서 이동하게 된 것이다. 이때도 내 직속상사, 지금의 사업부장님이 나를 추천해 주셨다. 나에게 정말 잘해주셨고 평가도 좋게 해 주신 분이다. 전에는 큰 조직을 하나 맡았던 상무님이셨는데 사업부장으로 승진해서 이곳 계열사로 오시게 되었다. 그리고 얼마 지나지 않아 감사하게도 불러주셔서 함께 하게 되었던 것이다. 그런데 죄송하게도 그만 둔다는 말씀을 드리려고 하는 것이다.

평상시와 같이 사무실에 아침 6 시 20 분 경에 도착을 했다. 다른 일이 없으면 바로 휘트니스 센터로 내려가서 운동을 하고 8 시쯤 올라왔겠지만 오늘은 아니다. 사업부장님과 면담을 하기로 마음을 먹은 날이기 때문이다. 사업부장님 집무실을 사무실에 도착한 그때부터 확인하기 시작했다. 나보다 일찍 오실 때도, 늦게 오실 때도 있었기 때문이었다. 어제 사업부장님의 일정을 확인해보니 평상시와 같이 일정이 꽉차 있어서 이른 아침 시간 외에는 만나뵙기가 어려울 것이라는 판단에서였다. 내 자리에서 사업부장님의 집무실은 불과 20 여 미터 떨어져 있지만 내 자리에서는 보이지 않는다. 자리에 앉았다가 채 5 분이 되지 않아서 사업부장님 집무실을 확인하려 다녀오기를 반복했다. 몇 번을 갔음에도 뵙지 못해 오늘은 날이 아닌가보다 하고 생각을 할 즈음 사업부장님께서 도착을 하셨다. 조금은 떨리는 마음으로 노크를 하고 집무실로 들어갔다. 반갑게 맞아주셨다. 꽤 오랫 동안 내 능력을 인정해 주시고 앞에서 끌어주셨던 분이기 때문에 말씀을 올리기가 송구스러웠다. 잠시 뜸을 들이다가 이내 내 마음속에 품고 있던 말씀을 드리기 시작했다. 막내 하늘이와 둘째 제리를 위해서 해외로 당분간 나가서 살기로 마음먹었다고 말이다.

사실이었다. 예전 큰놈이 학교 다닐때 같지 않아서 아이들의 성적을 중학교 2 학년 중간고사를 보기 전까지는 자세히 알 도리가 없었다. 그러니까 반에서 학교에서 몇 등이나 하는지는 알 수 없었던 것이다. 물론 대충은 짐작을 하고 있었지만 말이다. 학원을 다니면 대략적인 성적이 나오지만 그걸로는 부족했었다. 중학교 2 학년이 되어서 정확한 학교 성적이 나왔는데 하늘이는 대학을 가기에 많이 부족해보였다. 조금더 시간이 필요하겠지만 대학에 가기 위해서는 많은 노력이 필요할 것이 자명했다. 제리는 조금만 더 하면 지가 원하는 곳에는 갈 실력이 되어 보이긴 했다. 제리는 욕심이 많은 녀석이다. 두 놈의 현재 성적이 어떻던 간에 이 녀석들을 재외국민특별 전형이라는 방식으로 대학에 보내고 싶었다. 좀더 즐거운 학창시절을 선물해 주고 싶었다. 그리고 우리나라의 교육 시스템에 아이들이 힘들어 하는 것이 싫기도 했다. 나도 공부하가 그렇게 싫었었는데 아이들은 오죽하겠나 싶었다. 아빠가 그나마 능력이 될 것 같아서 두 놈을 한국과는 다른 내가 원하는 교육 시스템에서 공부시켜서 대학에 보내고 싶었다. 프랑스에서 4 년이란 시간을 가족과 같이 머물렀었기 때문에 큰놈은 이 자격을 얻어 다른 사람들보다 수월하게 대학에 진학을 할 수 있었다. 이런 특혜를 막내와 둘째에게도 주고 싶었다. 그런데 올해가 두 놈 모두에게 특례 입학 자격을 주기 위한 마지막 해가 될 것 같았다. 왜냐하면 조만간 둘째가 고등학교에 입학을 할테니 말이다. 고등학교 1 학년은 반드시 해외에서 다녀야 한다는 조건 때문이었다. 사실 한참 전 부터 생각은 하고 있었는데 기회가 없었다. 이번이 마지막이 될 것 같아서 내린 결정이었다.

대만에 있는 회사에서는 마지막 오퍼를 준다고 했다. 나만 수락을 하면 입사가 결정이 되는 것이다. 아직 대우는 정해진 것이 없었다.

하지만 그들이 내가 다니는 회사의 수준을 알고 있기 때문에 터무니 없는 제안을 하지 않을 것이라는 것을 알 수 있었다. 처음 술자리에서 그리고 인터뷰에서 부사장이 해 준 얘기도 힌트가 되었다. 해외에서 애들 학교도 보내게 되어 좋겠다고 했다. 일부 회사에서 지원이 나올 것이라고 했다. 주택비 지원도 있다고 했다. 주재원은 100% 나오지만 그 정도는 아니더라도 일부 지원해 준다면 다행이다 싶었다. 아이들을 대만 학교가 아니라 국제 학교에 보내라는 것도 부사장이 먼저 얘기를 꺼냈었다. 내 마음을 어느 정도 읽고 있었나보다. 그렇기 때문에 어느 정도 대우는 기대하고 있었다. 이런 내용들이 완전 마무리 되기 전에 지금 회사에 내 의사를 밝히고 진행하는게 맞겠다 싶었다. 아니다. 어느 정도 내 마음은 이미 굳어 있었다. 그래서 지난 주에는 부모님을 찾아뵈었고, 집사람은 처가집에 지금 가고 있다. 그리고 난 사업부장과 대면하고 있다. 그만큼 사업부장과 친하게 지냈었고 나에게 바라는 것이 무엇인지도 잘 알고 있었기에 사전에 말씀드려서 백업 플랜을 세우실 수 있도록 하고 싶었다.

죄송하다는 마음에 쉽사리 말을 꺼내기가 어려웠다. 하지만 아이들 때문이라는 핑계아닌 핑계로 말씀을 드리기 시작했다. 잠시 얼굴에 굳은 표정이 비추다가 이내 사라졌다. 감사하게도 사업부장님께서는 대만 보다는 유럽, 그 중에서도 우리 지사가 있는 독일이 어떻겠냐고 제안을 해 주셨다. 아무래도 동남아나 대만 보다는 유럽이

사람살기에 좋지 않느냐는 취지로 말씀을 해 주셨다. 너무나 감사한 말씀이었다. 주재원으로 내년에 지원을 해 보면 어떻겠느냐는 말씀도 해 주셨다. 지원을 했었지만 번번히 떨어졌던 경험을 알고 계신터라 독일로 이민을 가서 현지에서 입사를 하는 방법도 말씀을 해 주셨다. 어떤 회사로 가는지를 말씀드리지 않았기 때문에 그런 추천을 해 주셨을 수도 있지만, 사실이었다. 대만보다는 유럽이 아이들을 위해서나 내 경험에 비춰보거나 훨씬 더 좋은 선택지임은 분명했다. 생각을 해보지 않았던 것은 아니다. 하지만 나에겐 독일로 가기 어려운 두 가지가 걸림돌이 있었다. 호짱씨가 두달에 한번씩은 지금 다니고 있는 병원을 다녀야 한다는 것이 한가지다. 유방암 3 기로 함암과 수술 이후에 지속적으로 치료를 받고 있기 때문이다. 그나마 올해가 5 년차이기 때문에 약물 치료만 하고 지금까지 했던 임상시험 치료는 그만둘 수 있기 때문이다. 두달마다 치료를 위해서 귀국을 해야하는데 유럽의 경우 물리적인 거리도 그렇고 시간이 너무 많이 걸리는 문제가 있다. 저가 항공권이 나와서 비용적인 측면에서는 대만과 큰 차이가 안날 수도 있겠다고 사업부장이 말씀하시기도 했으나 대만은 더 싸지지 않겠나? 비용의 문제라기 보다는 거리가 문제다. 물리적인 거리가 멀어지면 사실 오고가기가 쉽지 않다. 또 한가지는 양가 부모님이 연로하다는 것이다. 이제 팔순이 된 아버지와 장인어른의 건강이 예전같지 못하다. 원인도 잘 모르는데 여기저기 아픈데가 많으신 아버지, 예전같지 않게 허리가 굽으신 어머니를 뵐 때면 가슴이 찡하다. 은퇴하시고 고향에서

텃밭을 가꾸며 지내시는데 예전 같지가 않다. 처가는 호짱씨가 맏이고 세째 막내만 아들인데, 손아래 처남이 조만간 미국 텍사스로 이민을 가게 되었다. 장인 장모께서 걱정이 없다고는 하시지만 앞으로 만나기 쉽지 않을 것 같다. 장시간 비행기로 모시기도 어려울 뿐만 아니라 이민을 간놈이 한국 방문이 쉽겠는가 말이다. 내가 이민을 가지 않으면 모두 챙겨야 하는데 나까지 멀리 가버리면 양가 부모님의 상실감이 너무 클 것 같았다. 특히 처가는 아들과 생이별이라고 할 수 있을 것 같았다. 무슨 일이라도 있으면 자주 찾아뵙기 좋은 것은 아무래도 유럽보다는 대만이 훨씬 좋을 것이다. 물리적 거리 뿐만 아니라 마음의 거리도 나에겐 조금이나마 위안이 될 것 같았다. 어렵게 사업부장에겐 이미 마음의 결정을 내렸음을 말씀드렸다. 아쉽다고 하셨다. 이번이 아니라 며칠 있다가 다시 얘기해 보자고 했다. 내 마음을 돌리고 싶으신 것이다. 하지만 내 마음은 정말 돌아서 있었다. 죄송하게도 말이다.

얼마 지나지 않아 대만 회사의 인사과에서 제안이 도착했다. 썩 마음에 들지는 않았었으나 나에게 꽤 좋은 대우를 해주고 있다는 것은 느낄 수 있었다. 구글을 검색해 보니 생각보다 대만은 한국대비 임금이 높지 않았기 때문이다. 난 받은 제안에 대해서 한가지만 수정을 요청했다. 전체는 아니지만 수업료를 3 년만 지원해 주겠다는 것을 아이들 고등학교 졸업까지 지원해 달라고 했다. 메일로는 긍정적인 회신을 받았다. 담당자가 준 회신이라 아무래도 윗선의

결재를 받으려면 시간이 걸릴 수도 있고 아니면 거절을 할 수도 있겠다. 그렇다 하더라도 입사를 취소할 그정도 수준은 아니라고 생각했다. 엄밀히 얘기하자면 최종 결정이 난 것은 아니지만 어느 정도 일이 진행되고 있었기 때문에 사업부장에게 말씀을 드렸다. 안된다면 자비로 학비 부담을 하면 될 일이었다. 오늘 내일 아니 조만간 대만 회사부터 입사 제안이 오면 바로 사인을 해서 보낼 생각이다. 아이 둘은 위한 결정이자 또 다른 도전이 시작되는 것이다.

OOOoooOOO

프랑스로 파견 당시엔 사실 나에겐 어떤 선택지가 있었던 것은 아니었다 . 팀장이 이미 나를 마음에 두고 물어 본 것이었다.
"주재원으로 파견 나가는 것에 관심이 있느냐?"
"해외에 나가서 일을 해 보겠느냐?"
팀장이 물어볼 때 막상 내 대답은
"그래도 좋겠네요"
하고 말았다. 하지만 난 관심이 사실 많았다. 이미 내정자가 있었기 때문에 굳이 말을 꺼내지 않았을 뿐이다. 내정자가 있는데 얘기를 꺼내서 무엇한단 말인가? 그렇기도 했고 내가 나갈 주제가 안되는 것 같아서 그리고 기회가 없어서 말을 하지 못했을 뿐이었다. 물론 겁이라는게 나기도 했다. 짧은 해외 출장과 신혼 여행으로 해외를 다녀온 것이 전부인 나에게 해외 생활은 나에겐 일어나지 않을 일이라고 생각하고 있었는지도 모르겠다. 하지만 난 나가고 싶은 이유가 있었고 이미 주재원에 대해서 많은 것을 알고 있었다. 고등학교 동창 중에 한 놈이 해외에서 대학을 마치고 취업을 해 있었다. 오랜만에 그 놈을 만났을 때 들은 얘기가 있었다. 뿐만 아니라 외사촌 중에서도 주재원 생활을 했던 형이 있어서 난 이미 알고 있었다.

대학특례입학이라는 것이 있다는 것을 말이다.

[해외에서 최소 3 년, 고등학교 1 학년을 포함해서 학교를 다녀야 할 것 그리고 가족이 함께 있어야 할 것]

이게 대학특례입학의 조건이었다. 정확한 이름은 재외국민특별전형이다. 중학교 1 학년인 큰놈 장군이가 4 년 동안 해외에 머문다면 이 특례 조건을 만족할 수 있는 좋은 기회가 된다는 것을 알고 있었던 것이다. 게다가 프랑스 파리에서 살아 볼 수 있는 기회다. 어디 이런 기회가 쉽게 오겠나? 호짱씨도 프랑스로 나간다는 말을 듣고는 들떠 있었다. 프랑스에서 그것도 파리에서의 주재원 생활이라는데 반대할 여자가 있을까? 반대는 커녕 당연히 나가야 하는 것으로 우리 가족들은 알고 나갔다. 그것도 아주 기분 좋게 우리는 프랑스행 비행기를 탔다.

5 년이라는 해외에서의 경험은 행복했다. 결과만 놓고 보자면 말이다. 큰놈은 인서울 4 년제 대학에 입학을 할 수 있었다. 그리고 둘째와 세째는 귀국을 하고 나서도 둘이서는 영어로 대화를 할 만큼 영어 실력도 갖추고 있었다. 비록 초등학교 저학년이었지만 말이다. 그저 대학특례입학제도만 알고 주재원을 나갔었고 그 특혜를 받았지만 그 외에도 많은 특혜와 좋은 경험을 할 수 있었다. 쉽지는 않았지만 4 년을 프랑스 파리에서 가족과 함께, 마지막 1 년은 독일 프랑크푸르트에서 혼자 생활을 했다. 선진국에서 많은 것을 배우고 대우도 받았었던 주재원 생활을 했더랬다. 부모님이나 처가도 좋아했다. 복받아서 해외 생활을 해 본다고 했다. 주재원 대우도 꽤나 좋았기 때문에 더더욱 그러셨을지도 모르겠다. 생활 물가가 높아서 연봉도 더 나왔다. 집도 나왔다. 파리에서의 집은 당시 내가 살던 집보다 약간 더 큰 40 평 정도 되는 크기였다. 월세가 엄청났다. 내 상상 그 이상이었다. 다른 주재원들은 폭스바겐 파사트를 업무용 차량으로 줬는데 나는 프랑스 르노가 고객이라고 SM5 가 나왔다. 한국서 내 차가 SM7 이었는데 안타깝게도 SM7 은 한국 국내용이라 프랑스에는 없었다. 차는 회사에서 리스를 해 줬는데 80%를 회사에서 지원해 줬고 유지비 역시 80%가 회사 지원이라 난 20%만 개인 부담하면 되었다. 1 년에 한번은 한국으로 다녀오라는 비용도 나왔고 아이들 학비도 100% 회사에서 지원을 해 줬다.

갑작스레 로또에 당첨된거나 마찬가지였다. 어수룩하게 있다가 아주 좋은 기회를 얻은 것이었으니 말이다. 우리 프로젝트 최대 수혜자가 나라는 소문이 있을 정도였다. 아주 틀린 말은 아닌 듯 싶었다.

입사 제안을 받다

기다리던 이메일이 왔다. 입사제안에 대한 소개를 해준다고 컨퍼런스 콜을 하자고 했다. 같이 일을 했으면 좋겠기에 입사시의 대우를 비롯해서 근무 환경 등을 설명해 주겠다고 했다. 나에게 미리 현재 받고 있는 연봉을 알려달라고 했었다. 사실 내가 받던 연봉은 조금은 뻥튀기를 했다. 나의 연봉 수준을 밝힐 순 없겠지만 예를 들어 나의 희망 연봉이 1 억이라면 미국 달러로 환산을 해서 제시를 해야 하는데 요즘 환율이 1300 원대라서 최소한 1 억을 1300 원으로 나눈 7 만 7 천불을 제시 했어야 한다. 그런데 난 환율을 1000 원으로 해서 10 만불을 제시했던 것이다. 물론 아이들 때문이라는 변명아닌 변명이 있었지만 최소한 나를 인정받고 싶었던 마음이 있었기 때문이다. 컨퍼런스 콜을 하자는 날짜는 역시나 월요일 오전이었는데 마침 월차를 낼 수 있어서 집에서 미팅을 할 수 있었다.

아쉽게도 제시받은 연봉 수준은 현재 받는 수준보다는 약간 좋았지만 내 기대치에는 미치지지 못했다. 해외 생활비를 감안하고 환율을 1000 원으로 계산을 해서 요구를 했음에도 역시나 회사마다 가이드라인이 있는 듯 했다. 그래서 내 기대치를 추가로 요구하지 않았다. 이민의 목적이 돈은 아니었기 때문이기도 했다. 하지만 기대하지 않았었던 주택 렌탈 비용이나 학자금 등의 추가적인 부분에서는 세세하게 배려해 줬다는 느낌을 받았다. 부사장 덕분에 미리 조금은 알고 있긴 했지만 말이다. 주재원을 나갔을 때 처럼 모두를 내가 원하는 만큼 지원을 해 주길 바랬다면 그것은 지나친 욕심 일 수도 있다는 생각을 위안으로 삼을 수 밖에 없었다. 이왕 아이들 때문에 해외로 가기로 한 것이었기에 크게 추가로 요구할 사항은 없었지만 그래도 내 부담을 최소화 하고 싶은 욕심은 어쩔 수 없었나보다. 학비에 대해서 약간의 추가 지원을 요구했다. 또 한가지 최소 계약 기간에 대해서 이야기를 했다. 근무기간을 최소 3 년은 보장해 줘야 하는것 아니냐고 물어봤다. 웃으면서 얘기하긴 했지만 되면 좋은 조건이 아닌가? 아무래도 해외로의 이직이다보니 갑작스런 퇴사 요구를 받으면 난처해 질 수 있다는 생각을 했다. 대만은 엄연히 다르지만 중국에 취업을 했다가 낭패를 본 사례들을 미디어를 통해 많이 본 터라 더 그랬다. 인사팀 담당자는 친절하게 모두 알아보겠다고 했다. 직접 결정을 내릴 수 없다고 했다. 당연했다. 한번 지원을 해 주기로 하면 비용이 만만치 않기 때문에 결재를 올려서 최종 승낙을 받아야 할 것이라고 예상 할 수 있었다. 그런데 여러 조건 중에서 전혀 생각하지 못했었던 옵션이 들어 있었다. 바로 공식 출근 전에 대만을 집사람과 방문할 수 있는 항공권과 2 박 3 일 숙식을 제공해 주겠다고 했다. 집도 알아보고 아이들 학교도 가보고 회사도 와 보라는 취지였다. 이 부분은 정말 고마웠다. 여러가지 이야기를 나눴지만 한시간 삼십분을 잡았던 미팅은 채 40 분도 걸리지 않았다.

미팅이 끝나고 나서야 옆에서 듣고 있던 호짱과 하늘이가 나를 보고 웃었다. 나도 씨익 웃어주기만 했다. 이제 회신이 오면 떠날 날짜를 정해야 했고, 진짜로 갑작스레 대만으로 나가게 되는 것이다. 한편으로는 심난하기도 했다. 가족들의 울타리가 되어주는 것은 그렇게 어려운 일은 아니지만, 다 큰 장군이를 한국에 혼자 남겨두고 가야하는 것 부터가 그랬다. 큰 딸이고 성인이지만 걱정스럽지 않을 수 없다. 연세가 있으신 우리 부모님도 장인, 장모도 눈에 아른거린다. 이것 저것 해 드리고 싶은 것이 많은데 한동안 나가 살면 자주 뵙기도 어려울테니 말이다. 말이야 두 달에 한번꼴로 들어오겠다고 다짐을 했지만 가고 싶을 때마다 가서 뵐 수 있는 것과 멀리 떨어져 사는 것은 또 다른 문제니 말이다. 자주 들어와야겠다 결심을 다시 한번 했다. 처갓집은 좀더 심각하지 않은가? 처가에서 유일한 아들인 손아래 처남은 올 10 월에 미국 텍사스로 이민을 간다고 했으니 말이다. 나처럼 몇 년을 생각하고 가는 것이 아니라 아얘 이민이다.

결정을 내려 놓고 나서는 이런 저런 걱정이 많았다. 특히 주변 걱정도 걱정이지만 나 스스로도 걱정이 되었다. 대만에서 살려면 중국어를 배워야 하는데 정말 하나도 모르기 때문이다. 전에 유럽에 주재원을 나갔을 때는 영어만 써도 무방했다. 왜냐하면 어차피 주재원이고 한국으로 돌아올 것이기 때문이기도 했다. 그리고 만나는 사람이 모두 고객이었고 내가 한국에서 온 것을 알았기 때문에 내가 불어를 할 것이라고 생각하는 사람은 아무도 없었다. 그러니 회사 일에서 불편한 점이 별로 없었다. 모르는 부분은 현지에서 채용한 프랑스 직원이 있었으니 모두 번역을 해 주거나 통역을 해 줬기 때문이다. 한번은 프랑스어를 배워보겠다고 독학을 막 시작했다. 어느 금요일 프랑스 고객사 친구들과 회의를 하다가 좋은 주말 보내라는 프랑스어 한마디를 했다. "봉 위켄드~" 그 한마디에 다들 난리가 났다. 언제부터 불어를 배웠느냐 다음부터 불어로 회의를 하면 되느냐 우리가 불어로 하는 얘기를 다 알아듣느냐 등등 말이다. 사실 고객들은 내가 그네들의 말을 못알아 듣기를 원할 수도 있겠다는 생각이 들었다. 내 앞에서 나를 빼고 본인들끼리 비밀 얘기를 할 수 없으니 말이다. 그래서 물어봤을 수도 있겠다 싶었다. 그 다음부터는 아예 불어를 공부할 생각도 하지 않게 되었다. 굳이 필요하지도 않았고 고객한테 오해를 사기도 싫었다. 그런 핑계김에 아예 공부를 하지 않았던 것이다. 그런데 이번엔 상황이 다르다. 난 이방인이어서는 안된다. 여기 대만 사람들과 섞여서 같이 살아야 하기 때문에 중국어는 필수가 될 것이다. 내가 영어 원어민이 아니듯, 그네들도 영어를 하긴 하겠지만 농담 따먹기나 비업무적인 시간에서는 중국어가 편할 것이고 그런 대화에 끼지 않으면 가까워지기 어려울 것이다. 그래서인지 회사에서는 3 년치의 중국어 교습 비용도 보조해주겠다고 한다. 보조가 문제가 아니라 얼마나 빨리 배울 수 있느냐에 따라서 대만생활과 회사생활에 적응 여부가 달린게 아닌가 싶다.

한편으로 걱정을 했고 다른 한편으로는 언제 회신이 오나 기다리고 있었다. 하루가 지나도 회신이 오지 않자 내가 추가로 요구한 것이 문제가 되지 않았나 싶었다. 부러진건가? 하는 의심도 들었다. 또 초초해졌다. 한편으로는 대단한 것을 요구한 것이 아니니 회신을 올 것이라고 생각하기도 했다. 그렇게 시간이 지나고 채 일주일이 되지 않아서 회신이 왔다. 아이 학자금은 조금 더 지원해 주기로 했다. 그리고 최소 계약 기간에 대해서는 안타깝지만 대만 내에서는 그런 식의 계약은 안된다고 했다. 이메일로 보내온 문서에는 연봉을 포함한 계약 사항이 적혀 있었고 사인을 해서 보내면 된다고 했다. 입사 일자와 여권번호 그리고 사인만 하면 된다. 바로 보내면 내 마음을 들킬 것 같아서 메일은 잘 받았고 생각할 시간을 달라고 했다. 그렇게 한숨을 돌리고 사인을 하고 스캔을 해서 다음날 메일을 보냈다. 기회를 놓치고 싶지 않아 처음 생각과 달리 서둘러 회신을 보냈다.

호짱씨는 언제 대만을 갈 것이냐고 호들갑이었지만 난 회사에 퇴사를 하겠다고 알리는 것이 스트레스로 다가왔다. 일주일이 지나면 지금의 계열사로 옮긴지 일년이 되는 날이었기 때문이다. 나이 많은 나를 이곳으로 불러오기 위해서 많은 노력을 했던 사업부장님 생각이 났다. 물론 사업부장님이 필요해서 나를 부르신 것도 있겠지만 나를 그만큼 인정해주시는 분이기 때문에 나에겐 상당히 고마운 분이기도 했다. 그래서 더욱 죄송한 마음이 든 것은 사실이었다. 내심 아이들 때문에 이민을 가기 위해서 퇴사를 한다고 말씀을 드리면 명퇴로 엮어서 2 년치 연봉을 더 얹어 주면 좋을텐데라는 생각이 잠시 들었다. 하지만 원리 원칙에 충실한 분이라 그런 사항은 꿈도 꾸지 못할 일임을 깨닫고 속으로 웃고 말았다.

주재원으로 나갈 때는 회사에서 모든 일을 처리해줬는데 이번엔 내가 하나부터 열까지 모든 것을 해야 한다. 이삿짐부터 의료보험은 어떻게 할 것인지가? 국민연금은 어떻게 납부를 해야하나? 보험들어 놓은 것들은 어떻게 하지? 차 두대를 모두 팔고 갈까? 하나는 가지고 갈까? 집은 팔 수는 없으니 월세를 놔야겠는데 얼마에 내 놓으면 될까? 할 일들이 생각보다 너무나 많다.

O O O o o o O O O

얼결에 주재원을 나가기로 되었고 바로 출장 대응을 하라는 지시가 떨어졌다. 주재원 나갈 준비도 해야하는데 말이다. 주재원 파견 결정이 나고서 난 채 한달이 되지 않아서 프랑스로 출장을 나가기 시작했다. 미국, 인도 등은 출장을 다녀봤지만 프랑스는 생전 처음이다. 여행으로도 프랑스, 아니 유럽 자체가 처음이었다.

주재원 대우는 아주 좋았다. 생각외로 말이다. 먼저 급여는 한국에서 한화로 일부 나오고 현지에서 추가로 나오는 구조이고 물가를 보전해 주는 명목으로 추가로 나오는 것이 있어 한국 연봉보다는 꽤 높았다. 1 유로에 1400 원이 넘었을 때 였으므로 환율도 고려된 연봉이었을 것이다. 연봉 외에 추가로 지원을 받는 것은 집 월세였다. 아이가 셋이었으나 아이들이 어렸기 때문에 방은 3 개였다. 네 개 짜리를 구하기가 사실은 쉽지 않았다. 프랑스 파리에서 40 평 정도 되는 아파트의 월세는 엄청나다. 마지막 연도에는 대략 한화로 500 만원 정도 되는 월세를 지불했어야 했으니 말이다. 차는 개인 용도로도 써야하므로 리스 비용과 유류는 각각 80% 지원을 받았다. 지원 중에서 대박인 것은 아이들 학비였다. 유치원을 제외한 정규 과정은 100% 회사에서 지원을 해줬다. 유치원의 경우에는 80% 지원이었다. 그런데 얼마나 학비가 높았는지 아이들이 모두 학교에 들어갔을 때에 지원받는 금액인 10 만 유로가 넘었다. 대략 1 억 5 천 가까이 되는 돈을 지원 받은 것이다. 그 외에 소소하게 프랑스어 공부하라고 3 개월간 약간의 돈이 지원되었다. 현지 직원들보다 조금 높은 의료 사보험도 지원을 해 줬다.

사보험 얘기가 나온 김에 프랑스에서의 의료에 대해서 잠시 얘기를 하고 싶다. 달라도 정말 많이 다른 의료 서비스를 받았기 때문이다.

1 차 진료 기관, 한국으로 말하면 의원에서 진료를 받게 되는데 한국처럼 직접 주사를 놔주거나 하는 것은 없었고 약을 처방받는 것이 전부였다. 동네 의원은 호짱이 아이들을 데리고 가는 것을 딱 한번 가 봤는데 정말 비쌌던 기억만 있다. 의원에 찾아가려고 해도 약속을 하고 가야 했다. 랑데뷰를 잡는다고 한다. 약속된 시간에 맞춰 가도 30 분 정도는 기다리게 되는 것은 한국과 비슷했다. 아이들 감기 때문에 갔었는데 결국엔 오렌지 쥬스를 많이 마시고 비타민을 챙겨 먹으라는 처방만을 받아들고 왔던 것이다. 그리고 내야 하는 비용은 당시에 50 유로, 우리 돈으로 7 만원이 넘는 금액이었다. 말그대로 상담만 받고 큰 돈을 지불했던 것이다. 병원이라고 해 봐야 작은 사무실 두어개가 같이 있는게 전부였다. 한번은 집에 갔더니 아이가 넘어졌는지 병원에 다녀왔다고 했다. 엑스레이를 찍어야 한다고 했단다. 그런데 병원에는 엑스레이 기기가 따로 없어서 다음날 엑스레이를 찍는 곳을 별도로 방문해야 한다고 했다. 참 희안한 체계다. 응급실은 더 황당했다. 아이가 열이 심하게 나서 막내를 데리고 병원 응급실을 찾아간 적이 있었다. 막내가 초등학교를 입학하기 전이었다. 응급실에 도착하자마자 아이가 열이 나서 왔다고 했다. 바로 진료를 받으러 진료실로 갈 줄 알았더니 밖에서 기다리라고 했다. 그런데 기다려도 기다려도 의사는 나오지 않았다. 응급실 앞은 우는 아이들 엄마 품에 안겨서 잠든 아이들이 있었지만 그리 붐비지는 않았다. 한 삼십분쯤 기다렸을까? 간호사가 종이를 한장 가지고 오더니 이것 저것 떠듬떠듬 물어보기 시작한다.

문진을 하는 것이다. 언제 마지막으로 무엇을 먹었는지 부터 시작해서 열이 언제부터 났는지 등등을 세세하게 물어봤다. 집 주소가 어떻게 되는지 보험 번호가 어떻게 되는지 물어봤다. 이제 진료를 곧 받고 약 처방이라도 받겠구나 했다. 그리고 또 다시 지루한 기다림이 시작되었다. 막내 하늘이는 어느새 내 무릎에서 잠이 들어 있었다. 그렇게 한시간 정도가 더 지났을 무렵 기다림에 지쳐서 언제까지 기다려야 하느냐고 따지듯이 물었다. 무미건조한 답변이 돌아왔다. 기다려라! 그렇게 한시간 삼십분이 더 지난 후에서야 하늘이와 난 작은 방으로 들어갔다. 거기가 진료실이었다. 열이나는 아이를 옷을 벗게 하고서는 또 이것저것 물어본다. 그리고 진료를 하고 열이 내리라고 따뜻한 물로 닦아준다. 기억엔 좌약도 하나 넣어준 듯 하다. 한시간 정도 머물렀을까? 열이 좀 내렸는지 집에 가라고 한다. 저녁을 일찍 먹고 잠시 있다가 응급실을 갔는데 3 시간 넘는 기다림과 한시간 남짓한 진료 그리고 집으로 가란다. 허탈하게 집으로 가기 위해서 수납창구를 찾았다. 그런데 막상 응급실을 나왔는데 진료비를 수납할 곳이 없었다. 수납창구들은 모두 문이 닫혀 있었다. 난관도 이런 난관이 없었다. 그냥 가면 돈도 안내고 도망갔다고 할 것이라 한참을 찾다가 어렵게 병원 직원을 만났다. 그래서 어디서 진료비를 내면 되느냐고 물어봤더니 돌아온 답변은 "그냥 가면 된다"였다. 고개를 갸우뚱거리며 집으로 돌아왔는데 나중에 알고 보니 비용은 나중에 보험사로 직접 청구한단다. 그걸 모르고 문닫은 병원 수납창구를 찾아 헤멘 것이다.

파견자들은 별도로 집합교육도 받았다. 그룹사에서 해외 파견자들을 불러다 놓고 꽤 여러날 동안 교육을 해 줬다. 교육을 받는 주재원 예정자들은 파견을 나가는 나라도 모두 달랐고 업무도 달랐다. 하지만 다들 해외로 나간다는 것에 대해서 들떠 있는 것처럼 보이는 것 같았다. 내가 들떠 있어서 그럴지도 모르겠다는 생각도 했다. 파견을 나가는 국가는 어디가 되었건 간에 약간씩은 문화가 다를 것이니 어떻게 적응을 해야 하는지에서 부터 교육이 시작되었다. 돌려 말하는 것에 익숙한 우리 문화에 비해서 직접적인 대화를 많이 하는 문화에서 어떻게 업무 지시를 내려야 하는지도 배웠던 기억이 얼핏 난다. 한국에 보고를 해야 할텐데 어떤 양식으로 어떻게 보고를 해야 하는지도 배웠다. 회사 업무 뿐만이 아니라 해외에 나가게 되면 한국에서의 의료보험이나 국민연금은 어떻게 해야하는지까지도 자세히 알려줬다. 법적으로는 한국에서 퇴사를 하고 해외의 업체로 재입사를 하는 것이다. 하지만 계약된 기간이 끝나고 한국에 돌아오게 되면 모두 원상복귀를 해 준다고도 했다. 개인 재무 상담도 해 줬다. 전세를 살고 있던 사람은 어떻게 해야 하는지 어디에 투자를 하는게 좋은지 등등 세세한 교육이 이어졌다. 당시에 개인 연금에 들어 놓는 것이 좋다는 조언을 듣고 10 년짜리 개인 연금을 들어 놓은 것이 있는데 60 세 부터 10 년 동안 받게 되어 있다. 그걸 생각하면 조금 뿌듯한 생각이 들기도 한다.

퇴직금, 대출 그리고 월세

꽤나 오래된 1995 년 12 월의 일이다. 첫 직장은 멋모르고 나갔던 취업박람회라는데서 첫 면접을 봤고 운 좋게 합격까지 했다. 거기서 병역특례로 근무를 하면서 군문제를 해결했다. 그렇게 대략 9 년을 다녔고 또 다른 중소기업을 거쳐 여기로 온지는 15 년이 넘었다. 15 년이란 짧지 않은 시간을 근무했으니 퇴사를 하게 되면 꽤 많은 퇴직금도 받게 될 것이다. 중간에 퇴직금을 중간 정산할 수도 있다고 안내를 받긴 했지만 난 차곡차곡 모아왔다. 퇴직금은 연금으로도 받을 수 있는데 연금으로 받는 것 보다는 일시불로 받아서 사용을 하는 것이 낫겠다 생각하고 있었다. 확인해보니 적지 않은 금액이었다. 그래서 다른데 투자를 하는 것이 낫지 뭣다가 연금으로 받을 필요가 있을까 하는 생각이었다. 그리고 우리가 대만으로 이사를 가고 나면, 장군이가 한국에 남아있어야 하니 오피스텔 전세라도 얻어주는데 보태서 사용하면 좋을 것 같기도 했다. 요즘은 퇴직금 받는 방법도 잘 알아야 한다고 들었다. 사람마다 말들이 달랐는데 직접 퇴직금을 받아본 경험이 없었기 때문인 것 같았다. 퇴직금을 모두 연금으로만 받아야 하는 것으로 알고 있는 사람들이 많았다. 하지만 알아보니 그렇지만은 않았다. 일시불로 받는 방법이 당연히 있었다. 그런데 일시불로 받기 위해선 사전에 준비할 것이 필요하다고 했다. 그리고 마이너스 통장도 퇴사 전에 알아보려고 한다. 혹시나 해서 비상용으로 만들어둔 마이너스 통장인데 이것은 현재 회사에 재직 중이라는 것을 전제로 신용 대출을 해 준 상품이라 아마도 퇴사를 한 것을 알게 되면 바로 상환을 해야 할 것이다. 그러니 혹시 필요할지도 몰라 마이너스 통장을 다시 만들면 어떨까 생각을 했다.

주로 구글링에 의존을 했는데 먼저 퇴직금을 받기 위해서는 IRP 계좌를 만들어야 한다고 했다. 55 세가 넘었거나 300 만원 이하의 퇴직금을 받을 때는 필요 없지만 난 여기에 해당하지 않으니 계좌를 만들어야 했다. 어쨌거나 난 일시금으로 사용할 것이니 계좌를 만들어야 겠다고 생각했다. 모바일로도 만들 수 있는가를 살펴보니 역시나 어렵지 않게 만들 수 있을 것 같았다. 그러다가 우연하게 회사의 퇴직 프로세스를 보니 IRP 계좌를 만들고 계좌 사본도 제출해야 한다고 되어 있었다. 모바일에서 계좌사본을 출력하는 방법을 찾을 수도 있겠지만 역시나 지점을 방문해서 만드는 것이 좋겠다는 결론을 내렸다. 이것 저것 물어볼 것도 있을 것 같았다. 그리고 아무래도 퇴직을 결정하고 주변사람들이 알고나니 눈치가 보이기도 했기 때문에 신선한 공기를 마실겸 은행을 다녀오는 것이 좋겠다는 생각을 했다.

해외로 나간다고 하니 이것 저것 생각해야 할 일들과 처리해 두면 좋을 일들이 머릿속을 맴돌았다. 지금 살고 있는 집은 월세를 놓고 한채 더 가지고 있는 아파트도 지금은 전세인데 월세로 돌리고 싶다.

두 채를 모두 월세로 돌리면 매월 들어오게 될 월세 수입이 3 백만원이 넘을 것 같았다. 그러면 수입처가 두 군데로 늘어나니 돈이 좀더 수월하게 모일 것 같다. 그런데 그럴 돈이 아직은 많이 부족했다. 먼저 지금 살고 있는 집은 대출이 없으니 월세를 놓는데 문제될 것이 없다. 그런데 큰놈이 한국에 남아 있어야 하니 오피스텔 전세를 얻어주거나 지금 전세를 놓고 있는 집을 써야 한다. 전세금이 꽤 많아 대출이 얼마나 되는지도 알아봐야 한다. 그리고 아직 전세 만기가 10 개월 정도 남아 있으니 그 사이에는 어딘가 살아야 한다. 복잡한게 한 두가지가 아니다. 부모님이 월세를 받아서 생활하시는 다가구에 방 두 개짜리가 조만간 만기가 된다고 했다. 오랫동안 수리 없이 세입자가 있었기 때문에 이번에는 이것 저것 수리를 꽤 해야 한다고 하셨고 손녀가 들어가서 산다면 리모델링을 해 주신다고 했다. 지하철역도 가깝고 아주 좋을 것 같았다. 집사람도 큰놈도 처음엔 좋아했다. 그러다가 다른 말을 듣게 된다. 장군이 고모가 지하철에서 집까지 가는 길이 어둡고 위험하지 않느냐고 어깃장을 놓은 것이다. 지하철 역에서 불과 100 미터 정도 밖에 안떨어져 있는데 뭐가 위험하다는 것인지 난 이해가 되지 않았는데 호짱씨도 갑자기 맞장구를 쳤다. 그랬더니 장군이도 생각이 바뀌었다. 다른건 몰라도 딸래미가 위험할 것 같다는데 계속 우길 수가 없었다. 그래서 별수 없이 오피스텔을 알아보기로 했다.

사무실 근처에는 오피스텔이 꽤 많았고 김포 공항이 가까워

승무원들이 많이 살고 있었다. 공항철도와 9 호선이 같이 있다보니 강남이나 서울역으로도 30 분 이내로 나갈 수 있는 장점이 눈에 띄었다. 동료 중에서 오피스텔에 사는 분께서 오피스텔을 추천했다. 주말부부로 평상시에 사무실 근처 오피스텔에서 살고 있는 분이었다. 본인이 사는 오피스텔은 여자들이 살기에도 좋을 것이라고 추천을 한 덕분에 그 오피스텔을 보기로 했다. 날을 잡아 큰놈과 호짱씨가 사무실로 오피스텔을 보러 왔다. 같이 사무실 근처에서 점심을 먹고 오피스텔을 보러 갔다. 나도 그렇지만 큰놈이 특히 기대를 하고 있을터였다. 부동산 사장도 오피스텔이 깨끗하고 좋다고 너스레를 떨었다. 그런 기대가 무색하게 우리의 기대는 오피스텔에 들어서자마자 저만치 날아가버렸다. 말이 좋아 오피스텔이지 내 눈에는 TV 에서 보던 조금 깨끗한 고시원으로 밖에 보이지 않았다. 무엇보다도 좁았다. 좁아도 너무 좁아보였다. 한층에 수십개나 되는 방들이 있는 것도 안전해보이지 않았다. 그 많은 방들에서 음식을 주문해 먹다보니 배달하는 사람들이 쉴새 없이 드나들고 있었기 때문이다. 할아버지의 다가구 주택보다도 여기가 더 위험해 보였다. 아무 말 없이 큰놈은 다시 할아버지의 다가구로 들어가기로 했다. 가구와 전자제품은 사줘야겠다.

여자의 마음은 갈대라고 했던가? 며칠 되지 않아 마음들이 또 바뀌었다. 아무래도 다가구 주택은 안되겠다는 것이다. 아무소리 하지 않았다. 딸래미 안전하게 살게 하고 싶다는데 어쩔 수 없었다.

알아서 하라고 했다. 월세는 부담이 되니 전세로 알아보라고 했다. 벌써부터 마음에 두고 있던 오피스텔이 있었는지 난 토요일이 되자마자 늦잠도 못자고 끌려나가야 했다. 분양 평수가 21 평이라는데 방은 역시나 그리 크지 않았다. 하지만 사무실 근처에서 봤던 방에 비하면 궁궐이었다. 그도 그럴 것이 처음 봤던 오피스텔과 분양 평수에서 많은 차이가 났기 때문이다. 지하철역에서 바로 연결되는 통로도 있어서 편하긴 할 것 같았다. 같은 평형에 아파트도 있고 오피스텔도 있었다. 차이는 베란다가 있느냐 없느냐 차이 밖에 없었고 전세금액도 비슷했다. 몇 개를 봤는데 마침 공실로 있는 방이 있어서 바로 계약을 진행하기로 했다. 일사천리로 일 처리를 했다. 불안해 하는 엄마 아빠와는 달리 큰놈은 신이 나 있었다. 첫 독립생활 이니 그럴만도 했다.

OOOoooOOO

재고 따지고 할 것이 많이 없었다. 나가기로 결정이 났고 당시에 우린 전세를 살고 있었다. 집은 강서구에 있었지만 출퇴근 때문에 평촌에서 전세 살이를 하고 있었다. 분당 구미동, 지금 생각해도 살기 좋은 동네에 우리는 살았었다. 그런데 출퇴근을 해야 하는 사무실은 독산동이었다. 너무도 멀고 멀었다. 얼마 지나지 않아 양재동으로 출퇴근을 해야 한다고는 했지만 독산동으로 다닐 일이 많을 것 같았다. 대중 교통도 편하지 않았을 뿐만 아니라 차를 가지고 다닐 경우 기름값으로 길에다 뿌리고 다녀야 할 돈이 만만치 않았다. 어차피 전세를 살고 있는 입장이니 양재동과 독산동 그 어느 중간쯤에 집을 얻으면 좋겠다는 생각을 했다. 그래서 호짱이 찾은 것이 평촌이었다. 그런데 안타깝게도 평촌으로 이사를 가고나니 더 이상 독산동에 갈 일은 없어졌다. 머피에 법칙인지 양재동으로만 출퇴근을 하면 되었다. 그렇게 독산동에 갈일이 없어지면서 얼마 지나지 않아 프랑스로 나가게 된 것이다. 이삿짐을 싼다고 해서 난 한국에서 이사를 하는 것과 별반 차이가 없는 줄 알았다. 그런데 나중에 들어보니 아니었다. 이삿짐을 쌀 때, 난 한국에 아예 없었다. 이미 프랑스로 출장을 나가 있었기 때문이다. 그냥 아이들을 통해서 집사람을 통해서 나중에 건네 들은 것이 전부였다.

이삿짐은 짐을 싼 후 부터 프랑스에 도착할 때까지 8 주나 걸린다고 했고 이삿짐은 얘기를 들어보면 짐 하나하나를 박스에 담았다고 했다. 맞는 박스가 없으면 그 자리에서 박스를 잘라서 새로운 박스를 만들었다고 했다. 의자도 그냥 싣는 것이 아니고 박스에 곱게 넣었다는 것이다. 그렇게 짐을 보내고 나서 떠돌이 생활을 했다고 했다. 프랑스에 있는 나도 마찬가지이긴 했다. 한국에선 짐을 보내고 나서 빈집에서 생활을 할 수가 없었다. 살고 있던 집이 전셋집이니 집을 내줘야 하기도 했고 말이다. 가족들은 집에서 나와 처가집과 친가를 오가며 두 달 가까운 시간을 떠돌이 생활을 한 것이다. 여행용 캐리어 몇개를 가지고서 말이다. 애들은 다행히 여름 방학과 겹쳐서 떠돌이 생활을 즐겼을 것 같다. 프랑스에 있는 나는 어땠을까? 프랑스 법인에서는 파견일자에 맞춰 집 계약을 해 줬다. 집 계약을 하기 전까지는 호텔비가 나오기 때문에 편하게 지냈는데 계약이 된 날짜부터는 집에 들어가 살아야 했다. 이삿짐이 들어오는 일정을 맞춰서 계약을 해 주면 좋으련만 발령이 난 이후 일사천리로 일을 진행해서 빈 집에서 한달은 기다려야 했다. 덕분에 아무것도 없는 집에서 생활을 해야 했다. 나중에 다른 주재원들한테 이야기를 들으니 그렇게 아무것도 없는 곳에서 지내는 생활을 난민생활이라고 불렀다. 난 진정 난민생활을 준비 해야만 했다. 침낭 하나를 샀다. 냄비 하나를 샀다. 다행히 집에는 인덕션과 냉장고 그리고 식기 세척기가 있었다. 장을 봐다 놓고 간단하게는 해 먹었다. 거진 라면이 주식이었다. 지금은 바게트 샌드위치를 잘 먹지만 그 당시에는 먹었다하면 입천정이 다 까질 정도로 적응을 못하고 있는 시기였다. 암튼 난민 생활은 재미 없었다.

한국서는 내 집을 전세로 세를 주고 출퇴근이 편리한 곳, 평촌에 전세를 살았다. 파견을 나가면서 전세를 빼다보니 손에 꽤 큰 돈을 쥘 수 있었다. 주재원 파견 교육에서는 여러 가지를 배울 수 있었는데 마지막날 해 준 재무 상담이 가장 도움이 많이 되었던 것 같다. 사는 집이 자가인 경우, 전세를 사는 경우 등에 따라서 맞춤 재무교육도 있었다. 강사는 혹시라도 채무가 있다면 빚을 먼저 갚으라고 강조를 했다. 나같은 경우는 다른 그 무엇보다도 월세를 놓는 것이 제일 좋다고 했다. 그래서 내가 살던 전세를 뺀 돈으로 전세를 놨던 집을 월세로 돌렸다. 일정이 맞지 않아 모든 일을 호짱에게 일임을 했는데 아버지께서 계약서 관련해서 도움을 주셨다고 했다. 그리고 한 동안 잊고 지냈는데 나중에 보니 월세로 받은 돈이 꽤 큰 목돈이 되어 있었다.

차와 삼각별

나만을 위한 플렉스, 사람마다 가치관은 분명히 다르다. 스스로를 평가해 보자면 나 역시 남들과는 좀 다른 면이 있다. 꽤나 구두쇠적인 측면이 있다. 아니 구두쇠가 맞다. 특히 메이커를 제품을 너무 좋아하는 사람이거나 특히 명품에 대해서는 약간의 알러지 비슷한게 있는 것 같기도 하다. 한때, 취미로 인라인을 탔을 때를 얘기해 보자면 난 이랬다. 혼자 타는 것은 별로 재미가 없어 동호회 활동을 할 때였다. 20 여년이 지난 지금도 가끔 연락하는 회원이 있으니 동호회 활동을 참 좋아하긴 했다. 여의도에서 모여서 잠시 몸을 풀고 인라인을 탄다 잠실 선착장을 찍고 돌아오는 것이 우리들의 주된 루틴이었다. 처음엔 몇 명이 되지 않아 가족적인 분위기였는데 점차 회원이 많아졌다. 우리 동호회 신입 회원들이 늘어나면서 난 점점 모임 참석이 재미가 없어서 슬슬 빠졌었다. 왜냐하면 너무 치장에 신경을 쓰는 사람들이 많아지다보니 청바지에 보호대를 하고 허름한 헬멧을 쓴 나는 너무다 다른사람들과 달라 보였기 때문이었다. 수십만원하는 헬멧에 선글라스 져지라고 하는 딱 붙는 인라인복을 차려 입은 사람들 사이에서 난 꽤나 이질적인 모습이었던 것이다. 자동차도 별반 다르지 않았던 것 같다.

나를 위해서 정말 큰 마음을 먹은 것은 올 초에 중고로 구매를 한 2011 년식 벤츠 e 클래스다. 남들이 보기엔 오래된 차를 가지고 뭘

그러느냐고 우습다고 있겠지만 적어도 나에게는 큰 투자 중의 하나였다. 지금까지 여러대의 차를 가졌었지만 딱 한번을 제외하고는 모두 중고차였다. 1998 년 결혼 직후에 샀던 2 년된 무쏘 97 년식이 나의 첫 차였다. 두 번째는 부모님의 성화에 못이겨 신차를 뽑았던게 2008 년에 르노 삼성의 SM7 이었다. 채 4 년을 못타고 이 차는 프랑스 주재원을 나가면서 친한 동료에게 중고차 값을 알아보지도 않고 싸게 넘겼었다. 동료는 아직도 그 차를 타고 있다. 나만큼이나 구두쇠다. 주재원을 나가서는 잠깐 동안 푸조의 520SW, 다시 나만을 위해 주문했던 리스차로 르노의 SM5 를 탔다. 프랑스에서 거의 3 년을 이차를 탔고 프랑스를 떠나기 전에는 SM6 를 탔다. 독일로 이동을 해서는 4 년된 BMW 520d 를 전임에게 물려받아서 탔다. 앞에서 얘기한대로 가족들은 독일로 오지 않고 프랑스에서 바로 한국으로 들어갔는데 프랑스에 있으면서도 르노 부산 공장에서 만든 차를 탔던지라 외제차를 한번 쯤은 타 보고 싶어 했다. 내가 독일로 이동을 한 후 였으므로, 내가 한국에 출장으로 들어왔을 때 호짱을 위해서 중고로 구매한 것이 BMW 523i 였다. 1 년만 타라고 10 살된 중고를 사줬는데 차가 마음에 든다고 6 년은 탄 듯 싶다. 그리고 갈아탄게 K7 이다. 훌쩍 큰 장군이 제리 하늘이 이렇게 뒷자리 세명이 앉기 위해서는 그랜저와 K7 이외에는 다른 선택의 여지가 없었다. 더 윗급은 후륜구동이 되면서 뒷자리 바닥 가운데가 불뚝 올라오기도 했고 뒷자리가 두 사람이 타기에 좋게 디자인 되었기 때문에 더 상위의 차를 살 수가 없었다. 역시 3 년 조금 넘은 중고를 구매해서 평상시에는 호짱이 그리고 주말에는 가족을 위한 차로 이용을 했다.

물론 내 출퇴근용 작은차도 있었다. 작년 초 2023 년까지 출퇴근용으로 타고다니던 차는 2008 년식 프라이드 1.6 디젤이었다. 거기에 오토가 아닌 수동차였다. 출퇴근을 서울 내에서 하고 집 바로 앞에 지하철과 버스가 있었지만 굳이 난 내 차로 출퇴근을 했다. 다른 사람들은 출퇴근에서 좋은 차를 탄다지만 난 생각이 달랐다. 처음엔 출퇴근 거리가 멀지 않았는데 회사가 서울 변두리로 이사를 가면서 내 출퇴근 거리는 왕복 50km 가 조금 넘는 수준이었다. 내가 소형 디젤 수동차를 구매한 것은 그것도 구매 당시 10 년이나 된 중고를 구매한 것은 어디까지나 가성비였다. 워낙 오랫동안 수동 차량을 운전했었고 연비가 좋아 택한 선택이었다. 소형차에 오래되었으니 세금도 비싸지 않고 연비는 무려 18km/l 나 되었다. 물론 조금 더 써서 최신 하이브리드를 사면 그만한 연비는 충분히 나올 것이었다. 하지만 유지 비용이나 구매 비용을 많이 쓰고 싶지 않았다. 그렇게 3 백 정도에 구매를 한 프라이드는 만 5 년 동안 큰 문제를 일으키지 않아 수리비도 들지 않고 한달에 7 만원 정도의 기름값으로 잘 운행을 했던 터였다. 그렇게 잘 타다가 올해에 출퇴근용으로 e 클래스를 들인 것이다. 디젤 1.6 리터에 연비 18km/l 였던 차 대신에 3.5 리터 휘발유, 연비 9km/l 로 바꾸었으니 나로서는 꽤 큰 투자였다. 이렇게 나름 큰 투자로 차를 가지고 다니다보니 나름

정이 들기도 했다. 타보고 싶었던 차이기도 했다. 한국에서 중장년이면 모두 삼각별을 단 벤츠를 타고 싶어하지 않을까?

대만으로 나가게 되면 K7 을 처분하는 것은 당연한 수순이었고 처음엔 e 클래스도 팔고 나가야지 생각을 했다. 어떻게 차를 팔까 고민을 할 필요는 없었다. 스마트폰 어플리케이션으로 내차를 경매 붙여 팔 수가 있었다. 속된 말로 좋은 세상이다. 어플들을 통해서 중고차 견적을 받아보니 e 클래스는 감가가 컸다. 그리고 같은 e 클래스를 대만 가서 중고로 사려고 또 대만의 시세를 알아보니 한국보다 중고차 가격이 1.5 배는 높다. 그렇다면 이삿짐에 차를 가지고 나가는 것이 어떨까하는 생각에 이르렀다. e 클래스를 사려고 올 초에 석달을 찾아헤맸다. 솔직히 차를 아주 잘 알지는 못하지만 조금 아는척을 할 수 있는 정도의 수준은 된다. 그래서 알량한 지식으로 이것 저것 비교해가면서 고른게 지금은 e 클래스다. 그래서 자평을 하자면 내 차는 컨디션이 꽤나 좋았다. 차를 사자마자 광택을 냈었는데 샵 사장님이 엔진소리가 정숙하다고 칭찬을 할 정도였다. 그래서 대만가서 차를 산다고 하면 말도 잘 안 통할 것이기도 하고 내가 가진 차 만큼의 컨디션을 가진 차를 찾기는 어려울 것 같기도 했기 때문이다. 만약에 차를 가지고 갈 수 있다면 어떤 절차가 있나 찾아봤다. 대만에 차를 가지고 들어가게 되면 별도의 차량적합 검사를 받아야 한다고 했고 시간이 꽤 걸리는 듯 했다. 비용은 이삿짐에 차를 가지고 가야하니 이사 비용이 두 배로 들 것이었고 대만서 검사비용도 들 것이다. 여기서 차를 팔고 가서 같은 급의 중고차를 산 다고 하면 후자가 더 경제적이긴 했지만 왜 그런지 차를 가지고 가는 방향으로 마음이 움직이고 있었다. 가지고 갈 수 있는 방법이 있다고 하니 말이다. 짧은 시간이지만 정을 쏟아서 그런 모양이었다. 그렇게 알아보고 또 알아봤다. 그래서 이사 업체에도 알아봐달라고 부탁을 했다. 하지만 업체로 부터 받은 회신은 부정적이었다. 차를 가지고 갈 수는 있는데 외교관급이 아니면 어렵고 차도 거의 신차급이어야 한다고 했다. 팔고 가서 새로 차를 구매하는게 좋겠다고 했다. 그래서 아쉽지만 팔고 가야지 하다가 내린 결론은 이랬다. 두어 달마다 한국에 들어오면 차 없이 다니는게 불편해 렌트를 해야할 것이다. 1 년에 적어도 4 번은 가족 모두 들어오려고 계획 중이다. 거기에 호짱이 병원 진료로 두어번 더 와서 렌트를 한다고 생각하면 꽤 큰 금액이 들어갈 듯 보였다. 그래서 이런 저런 계산을 해보고 e 클래스는 하늘이 오피스텔에 두고 한국에 들어오면 사용하기로 했다. 그렇게 결정을 내리고 나니 이것 저것 손볼 것이 생각났다. 배터리를 갈면 좋겠고 미리 타이어도 교환하면 어떨까 했다. 이왕 두고 가기로 한거 손을 좀 봐두면 좋지 않겠나 싶었고 그렇게 하기로 했다. 그런데 뭐가 그렇게 바빴는지 결국 아무것도 못하고 덩그러니 딸래미 집에 주차를 해 놓고 왔다.

OOOoooOOO

프랑스로 이동을 했던게 2012 년이었다. 2008 년식 SM7 을 신차로 잘 타고 있었다. 떠나야 하니 서둘러 차를 팔았고 프랑스로 넘어갔다. 주재원들의 차는 폭스바겐 파사트로 거의 통일해서 타고 있었다. 폭스바겐은 국민차라는 의미를 갖고 있다. 그리고 그 중에서 파사트라는 차는 전ㅅ헤계적으로도 많이 팔린 차다. 크기는 소나타급 정도가 된다. 하지만 내가 좋아하는 스타일은 아니었다. 나도 처음으로 폭스바겐 파사트를 타나 했더랬다. 하지만 이런 저런 수속을 밟는데 시간이 걸린다고 법인에서 내게 임시로 준 차는 푸조의 502 SW 왜건 이었다. 한국사람에게 조금은 낯선 푸조는 르노와 함께 프랑스 내에서 각각 25% 정도의 마켓 쉐어를 가진 브랜드였다. 살게 될 프랑스에서는 듣보잡 브랜드는 아니었다. 어쨌거나 새 리스차를 받을 때까지 이차는 길어야 한달만 타면 되겠거니 했는데 무려 6 개월 이상을 타야했다. 푸조는 변속기가 충격이 있어서 꽤나 불편했던 기억이 난다.

파사트를 받을 것으로 기대와는 다르게 난 르노 삼성의 SM5 를 받았다. 르노 프로젝트 때문에 프랑스 파리로 나간 것이니 르노 차를 타야한다는 것이 회사의 논리였고 가장 큰 차가 SM5 였다. 르노에는 내가 타던 SM7 이라는 가장 큰 세단이 있었지만 한국 내수용으로 밖에 안 판다고 했다. 더 재미있는 것은 한국 부산 공장에서 SM5 를 만들어서 수입해야한다는 사실이었다. 리스를 해서 타게 되는데 중고로 나중에 팔때 파사트보다 제값을 못받는다고 리스비도 파사트보다 40%나 비쌌다. 나중에 알아보니 SM5 의 가격은 BMW 5 시리즈나 e 클래스와 5 천유로 정도의 차이가 있을 뿐이었다. 한국에서는 절반값도 안되는 가격이었는데 프랑스로 가니 엄청 비싼 차가 되어 있었다. 그래서인지 프랑스에 있는 동안 SM5 를 본 기억은 없었다. 프랑스에서는 참 희귀한 차를 탄 격이다. 차 이름도 SM5 가 아니라 Latitude 라는 이름을 달고 프랑스 시장에서 팔리고 있었다. 난 해외에서 한국차, 그러니까 외제차를 타게 된 것이다.

이차는 만 3 년 정도를 탔는데 10 만 km 를 넘게 탔으니 정이 들만도 하건만 이상하게 정이들지 않았다. 이 차를 가지고 여름 휴가 중에는 스페인을 한바퀴 돌았고 포르투갈의 리스본까지도 갔었다. 독일, 네덜란드, 스위스 등등 유럽에서 안가본데가 없었다. 그랬으면 정이 들었을만도 하련만 정이 들지 않았다. 3 년 이후에는 차를 반납하도록 되어 있어 반납을 하고, 그 이후에 독일로 이동을 하기 전까지 잠깐 동안 SM6 를 탔는데 새로 개발되자마자 리스를 한 차라서 문제가 많았다. 왜 차는 신차 출시 이후 6 개월 이후에나 사야라고 하는지 몸으로 느낄 수 있었다. 디젤이었고 스탑엔고라는 기능이 있었는데 이게 항상 문제였다. 차가 서면 시동이 꺼지고 브레이크에서 발을 떼면 시동이 걸려 연비를 향상시켜보겠다는 기능이다. 그런데 이 신차는 가끔 브레이크에서 발을 떼도 시동이 걸리지 않아 놀랬던 경험이 꽤 있었다. 아얘 해결 방법을 못 찾았다면 중간에 차를 바꾸기라도 했을텐데 난 해결 방법을 찾았다. 시동이 꺼진 후에 다시 걸리지 않았을 때는 기어를 P 에 놓고서 차 문을 열었다가 닫고 다시 시동을 걸면 되었다. 처음에는 얼마나 당황했었는지 식은땀을 꽤나 흘렸더랬다.

독일에서 1 년을 있으면서는 전임이 타던 4 년 된 10 만을 탄 BMW 520d 를 받았는데 신세계였다. 독일의 고속도로 아우토반서 차량에 걸린 제한속도까지 가속을 해도 안정적이었다. 차에는 속도 제한이 227km/h 에 걸려 있었는데, 한국서는 경험해 볼 수 없는 속도로 긴 직선 차로에서 잠깐이지만 달려보기도 했다. 이렇게 속도를 낼 수 있는 것은 차가 좋은 것도 있지만 독일의 고속도로인 아우토반의 노면이 좋기 때문에 안정적으로 달릴 수 있는 것이다. 이 차를 타고 매주 목요일 프랑크푸르트에서 볼프스부르크 까지 회의를 하러도 다녔다. 서울에서 부산에 가는 정도의 거리다. 한시간 조금 넘는 회의 하나로 하루를 보내야 해야하는 일정, 이 일정에 항상 520d 가 함께했고 하도 빠르게 달려서 사무실에 도착을 하면 붕 떠있는 느낌을 한참 동안 받았던 기억이 지금도 생생하다. 차가 별로 없다면 언제든지 아우토반에서는 200km/h 는 달렸었다. 유일하게 네비게이션에서 보여주는 도착 예정시간 보다 빨리 목적지에 갈 수 있는 유일한 나라가 독일이 아닐까 싶다. 교통 법규 내의 속도로 달린다는 가정하에서 말이다. 일반적으로 독일에서의 네비게이션은 차가 막히지 않는 경우 차량의 속도를 130km/h 로 계산을 해서 도착 시간을 산출하기 때문에 가능한 일이다. 차가 안막히면 속도를 안내는 사람도 기본은 150km/h 로 달리니 가능한 일이기도 할 것이다.

신차를 받아서는 200km/h 까지 달려보기는 했지만 뭔가 불안했었던 SM5, 3 년이 지난 후에는 150km/h 가 넘자 핸들이 약간씩 떨려 더 높은 속도를 못냈던 기억이 난다. 그 뿐만이 아니라 포드 차량도 렌트를 해서 여러번 탔는데 고속도로에서 약간은 불안스러웠다. 그래서인지 언제부턴가 만약에 외제차를 사게 된다면 독일 프리미엄 차를 사야겠구나 생각을 당시에는 했더랬다.

회장직도 내려 놓아야 했다

회사에서의 나의 모습 말고, 나의 또 다른 모습은 아파트 입주자대표회의 회장이다. 어쩌다보니 올해 7 월에 우리 아파트 입주자 대표회의 회장직을 맡게 되었다. 무려 일천 세대의 주민이 뽑아준 나름 선출직이다. 2 년 임기이고 이제 막 처음 2 개월의 업무를 마치고 3 개월차에 들어선다. 생전 처음 느끼는 신세계다. 정말 다양한 사람들 사이에서 살아가고 있구나 하는 것을 매번 느끼게 해 주는 자리다. 아파트라는 곳은 정말로 말도 많고 탈도 많은 곳이다. 일반 주민으로 살고 있을 때는 전혀 알수 없는 일들을 아파트 일을 하면서 정말 많이 알게 되었다.

입주자대표회는 줄여서 입대의라고 부른다. 여기의 회장인 나는 한 회사의 사장과 같은 역할을 한다. 관리 사무소는 아파트의 모든 일을 관리하는 회사다. 처음 안 사실이지만 관리사무소도 사업자등록증을 가지고 있었다. 그러니 당연히 사장도 있어야 했다. 사업자 등록증 상 사장이 바로 입주자대표회의 회장인 나다. 엄밀하게 따지면 관리소의 일은 관리소장이 대부분 하게 되고 회장은 봉사직이라 회사와는 다른데 어쨌거나 관리소장을 관리 감독하는 역할을 하라는 의미가 아닌가 싶기도 하다. 사장으로 되어 있으니 은행의 업무를 볼 때도 내 도장이 찍혀 있어야 거래가 된다. 그런데 사실상 권한은 별로 없다. 대부분의 업무가 입주자대표회의의 의결을 거쳐야만 뭔가를 할 수 있는 구조이니 말이다. 입대의 회장에게는 매월 30만원이 수고비로 나온다. 그리고 최대 회의는 두 번을 개최할 수 있는데 회의 참석비용으로 5만원이 나온다. 최대 40만원의 수입이 아파트 입대의 회장에게 나오는 것이다. 십원이라도 내 주머니에 넣지 않기 위해서 난 노인정에 매월 커피와 휴지를 사다 드리겠다고 약속을 했다. 아파트 회의실에는 빔 프로젝트가 없어 중고지만 구매를 해서 설치도 했다. 직원들과 식사도 한번 했다. 내가 직장을 다니다보니 재택 근무를 하는 날을 잡아서 같이 식사도 한번 했다. 나보다 나이가 많은 분들이 대부분이라 친해지기도 해야 했다.

요즘 우리 아파트는 할 일이 너무나도 많다. 아파트 외벽에 도색을 하는 작업은 아파트에서 지출하는 비용 중에서 가장 큰 비용 중의 하나라고 하는데 지금 현재 진행 중이다. 이전 입대의에서 받아 놓은 견적을 보니 대략 12억이 들 것으로 예상되는 큰 공사다. 단순한 외벽 도색 뿐만 아니라 외벽에 크랙도 보수하고 옥상 방수 공사, 마지막으로 외벽이 아닌 각 동별 실내 공용부분에 대한 도색을 하는 것까지가 공사의 범위다. 이 공사를 위해서 감리도 선임을 했다. 비용 절감을 위해서는 감리를 선정할 필요가 없는데 전문가가 아닌 입대의에서 모든 것을 알고 관리 감독을 할 수 없으니 전문가의 도움을 받으려는 것이다. 나 뿐만 아니라 모든 동대표님들이 처음 해 보는 일이니 어려움이 많았다. 그나마 동대표님들 중에서 관심을 많이 가지신 분들께서 열성적으로 알아봐주셔서 그나마 일이 하나

둘 진행되고 있었다. 그렇게 잘 진행되는 듯 싶었는데 감리가 잘못했다는 제보가 들어오면서 시끄러워졌다. 감리가 견적을 제출하는 업체와 짜고서 비싸게 견적을 제출하려는 것 같다는 제보였다. 제보를 토대로 어떻게 하는 것이 좋을지 나 혼자 결정을 하고 싶지만 안된다. 모든 것은 입대의 의결을 거쳐야 한다. 하도 오래 끌고 오던 공사라서 한해가 가기 전에 마무리를 하자는 것이 모든 아파트 주민들의 의견이었다. 급하게 성사된 입대의 회의에서는 고성이 오갔다. 동대표들 중에 누군가가 감리와 내통하고 있다는 추측을 하게 하는 일들이 있었으니 그럴 수 밖에 없었다. 맘 같아서는 때려치고 싶었지만 12 억 짜리 공사의 입찰공고문에 공사의 상한가를 10 억으로 제한을 두자는 것으로 겨우 겨우 설득을 해서 회의를 마무리를 지었다. 조만간 아파트의 메인 도로 포장 공사를 위해서 입찰공고를 내야 하는데 이것도 걱정이다. 본인들 맘에 들지 않으면 고성이 오고가니 말이다. 그냥 의결해서 결정지으면 되는 일인데 왜 고성이 오고가는지 당췌 이해가 가지 않는다.

더 큰 문제도 있다. 아파트의 헬스장 문제다. 20 여년 전부터 있었던 헬스장인데 불법 건축물이다. 입대의에서 주차장 한켠을 막아서 불법으로 임대를 준 것이다. 누군가가 이 불법을 구청에 제보하면서 철거 명령이 떨어졌는데 많은 주민들은 유일한 아파트 내의 커뮤니티 시설이니 유지하자는 의견을 가지고 있어서 헬스장을 법적 테두리 안으로 가지고 오기 위한 일들이 진행 중이다. 불법을 합법으로 해야 하는 어려운 문제로 지금까지도 안풀리고 있다. 이전 회장은 폐쇄를 결정내렸고 헬스장을 임대한 사람과 법적 다툼까지 진행 중이었다. 난 회장이 되자마자 주민투표를 하고 유지하자는 의견을 끌어냈고 그 동안 헬스장을 법적 테두리 안으로 가지고 들어오려고 노력을 했다. 헬스장을 유지하려는 비대위도 이미 있었다. 비대위와 협의도 했고 얼마전에는 구청장까지 만나서 지원을 요청하기도 했다. 이 외에도 많은 산재한 일들이 있는데 일을 시작만 해 놓고 해외 이주 때문에 사퇴를 해야 하는 상황이 된 것이다. 젊은 입대의 회장으로 일을 잘 하고 싶었는데 해외로 튄다고 조만간 남의 입방아에 오르 내리게 생겼다. 워낙 말이 많고 탈이 많은 곳이니 말이다. 나중에는 우리 아파트 리모델링까지도 해 보고 싶은 마음도 있어 여러모로 공을 들이고 있었는데 아쉽게 되긴 했다. 네이버 리모델링 카페도 만들었고 건설사들과 수차례 만나서 자료를 수집하기도 했는데 많이 아쉽게 되었다.

아파트는 각 동마다 동대표들도 선출이 된다. 그 중에서 회장 후보가 출마를 하고 전체 주민의 투표를 통해서 회장을 선출하게 된다. 우리 16 명의 동대표들의 면면을 보면 우선 제일 연장자는 1945 년생 총무이사님, 다음은 1948 년생 대표님도 계시다. 대부분이 1950 년대 생이 많으시고 1960 년생은 젊은 축에 속한다. 그런데 난 1970 년대 생이다. 아버지가 1945 년생이시니 총무이사님과 동갑이다. 내 아래로는 세 명 밖에 없다. 정말 젊은 회장이 선출된 것이다. 내가 어릴 때 살던 동네라 난 이 곳을 잘 안다. 옛날에 이곳은 달동네 였다. 우리 아파트엔 달동네 개발을 시작한 24 년전부터 살고 계신 분들이 꽤 있다. 거기에 한번 입주해서 계속 사시는 분들이 많다보니 자가 비율이 75%가 되고 노인분들도 많은 것도 특징이다. 관리사무소에서 오랫동안 아파트 일을 하셨던 분들에 의하면 일반적으로 60% 정도의 자가 비율이라고 했다. 그래서 노인정에 자주 가서 재롱아닌 재롱도 부려야했다. 연세 많으신 분들의 입김이 아파트에서는 생각보다 크다는 판단에서였다. 최소한 어른들로 인해서 잡음이 나지않도록 해야겠다는 생각도 들었다. 아파트에서는 특이하게 조경에 대해서 엄청난 신경을 쓰고 있었다. 무려 매월 3 백만원이라는 큰 돈을 써 가면서 신경을 쓸 정도다. 한번은 조경업체에서 나무하나 잘랐다고 엄청난 민원에 시달리기도 했다. 관리소장이 노인정 총무님과 설전을 벌이고 얼마 안되서 사퇴를 하기도 했다. 채 2 년이 안된 시간 동안 4 명의 관리소장이 바뀌었다고 하니 정말로 많은 문제가 있긴 있는 것 같다. 내가 회장이 되고서도 4 명인 관리사무소의 직원이 관리소장 포함해서 3 명이 바뀌고 나까지 바뀌게 되면 한 사람빼고 두 달 동안에 모두 바뀌는 일이 발생하는 것이다.

어쨌거나 아쉽고 미안하기도 하지만 내일 월요일에는 내 상황을 얘기해 주고 사퇴의사를 밝혀야겠다. 이주가 아니라 주재원으로 갑작스런 발령으로 얘기를 하는 것이 좋겠다는 생각이다. 4 월부터 옮겨 갈 곳의 부사장님과의 만남이 있기는 했지만 이렇게 갑작스레 옮기게 될 줄은 상상하지 못했다. 이건 내 사정이고 말하기 좋아하는 사람들은 옮길 줄 알면서 회장직을 맡았다고 할 수도 있고, 비용이 큰 공사 뒷돈 받을라고 회장을 했다고 할 수도 있을 것이다. 그런 소문이 두렵지는 않다. 난 깨끗하니까. 다만 여기 있는 동안에라도 구설수에 휘말리고 싶지 않을 뿐이다.

인생이란 이런 것일까? 초콜릿 박스에서 초콜릿을 꺼내서 먹어 보기 전까지 어떤 맛일지 모른다고 했는데 사퇴를 얘기하고 나서는 어떤 일들이 벌어질까? 어떤 맛일까? 나쁜 소문에 휘둘리지만 않기를 바래본다.

OOOoooOOO

결혼한지고 얼마 되지 않아서 많은 사람들을 힘들게 했다는 IMF 가 터졌다. 사실 그때는 IMF 에 대해서 잘 몰랐다. 왜 그렇게 힘들어 했는지 난 잘 이해를 못했다. 왜냐하면 내겐 오히려 좋은 시기였기 때문이다. 이제 막 사회생활을 시작했는데 뭐가 좋았느냐 하면 컴퓨터 전문 잡지에 5 개월짜리 기고를 해서 용돈도 벌었었고 컴퓨터 프로그래밍 입문서를 하나 써서 수입이 나름 짭짤 하기도 했다.

컴퓨터를 어려서 부터 했던 우리세대라면 기억할 수도 있겠다 싶다. 프로그램세계라는 잡지가 있었다. 무슨 생각에서 였는지는 몰라도 이메일을 보내서 5 개월짜리 원고를 기고를 하겠다고 했고 잡지사에서는 흔쾌히 수락을 해 줬다. 그래서 프로그래밍에 대한 기고를 했다. 잡지의 사이즈가 A4 보다 조금 컸던 것으로 기억을 하는데 거기의 한 면당 2 만원으로 원고비를 계산해 줬다. 그리고 영진 출판사의 "할 수 있다" 시리즈를 썼다. 한참 IT 가 인기가 있었던 시절이었고 인터넷이 지금처럼 아주 활성화 된 시기가 아니다보니 책 수요가 많았다. 그래서인지 잡지에 있는 연재를 보고 출판사에서 내게 연락을 해 왔다. 비주얼베이직이라는 컴퓨터 언어 책을 써 줄 수 있느냐고 요청을 해 온 것이다. 가문의 영광까지는 아니어도 참 기분이 좋았다. 생각보다 책을 쓰는 것은 쉽지 않았는데 초고를 쓰는 시간보다 여섯 차례에 걸친 리뷰와 수정을 하는데 시간을 허비했다. 동영상 강의까지 만들어 달라고 해서 스튜디오에서 며칠에 걸쳐 동영상을 만들어 책 뒷편에 CD 도 같이 넣었다. 다행히 컴퓨터의 화면만 캡쳐하고 내 목소리만 들어가는 강의였다. 책이 출판되고 나서 몇 달 후에 처음 인세가 입금되었다고 전화를 받았던 기억도 난다. 인세는 책이 얼마나 팔렸는지에 따라서 받았다. 그래서 얼마나 팔렸는지 나름 확인을 해 보기도 했다. 책 뒷편에 보면 몇 쇄까지 인쇄가 되었는지를 확인할 수 있다. 마지막으로 교보문고에서 본 내 책에는 7 쇄라고 적혀 있었던 것을 봤었다. 지금은 어떤지 모르지만 당시 출판사에서 해 준 얘기로는 1 쇄가 3 천부였으니 대략 2 만부

가량 팔았다는 얘기다.

결혼하고 2 년이 채 안되어 차도 중고로 들였다. 2 년 조금 넘은 무쏘였다. 지금 생각해도 그 당시의 무쏘는 멋이 있었다. 난 덩치 큰 무쏘가 너무 마음에 들었다. IMF 때문이리라, 2 년 조금 넘은 차값이 신차의 절반 수준으로 떨어졌으니 말이다. 1250 만원이 그 당시 내가 구매한 2 년이 조금 넘은 무쏘의 중고가 였다.

아무것도 가진 것 없이 부모님의 도움으로 20 대 후반에 집에 대형 SUV 까지 소유하게 되었고 그 무렵 큰 아이도 태어났다. 삐삐에서 핸드폰으로 넘어가던 시기였던 것 같다. 내 기억엔 결혼 전으로 생각이 나긴 하는데 프로그램 세계라는 앞서 말한 잡지에 연재를 하게 되었다. 그 원고료로 핸드폰을 샀다. 걸리버라는 핸드폰이었다. 차에 집에 핸드폰까지 호사를 누렸던 것 같다. 그리고 결혼 무렵 호짱이 배가 불렀을 때, 때마침 내가 쓴 책이 출판도 되었다. 나름 잘나가던 시기였다. 거기에 모 신문사에서 아파트 가격을 산출하는 프로젝트를 맡겨서 쓰리잡까지 하고 있었다. 내 연봉은 2 천이 채 안되었던 시기였다. 당시엔 은행의 연봉이 가장 높은 축에 속했는데 후배가 초봉 2400 만원을 받았다고 해서 우리 동기들이 부러워하기도 했다. 하지만 난 월급 외로 들어오는 돈이 훨씬 많았던 시기, 그러니 나로서는 정말 좋았던 호시기였다. 그래서 IMF 라는 것이 나에게는 어려웠던 시절로 느껴지지 않는단 말이다. 한참 잘 나가던 시기, 그 때는 무쏘 클럽이라는 자동차 동호회 활동도 했더랬다. 무쏘라는 차가 꽤나 고급차로 자리매김하고 있었던 시기이고 가격대도 높았었는지 나는 동호회에서 거의 막내였다. 나보다 어린 친구를 정말 손에 꼽을 정도였으니 말이다. 차를 끌고 안다니는 곳 없이 돌아다녔고, 지금은 불법이 된 그룹 드라이빙도 했다. 떼 달리기 라는 이름으로 우리끼리는 불렀고 차에 CB 라는 자격증 없이 운영할 수 있는 무전기들을 달아서 서로 통신을 하면서 이동을 하곤 했던 시절이다. 무쏘 20 여대가 줄을 지어 달렸었다. 그러면 다른 무쏘가 재미삼아 그랬는지 끼어들기도 했고, 다른 차들도 우리 대열에 합류하기도 했다. 서로 무전기로 통신을 하고 있었기 때문에 속도를 낮춰 끼어든 차가 대열에서 벗어나 추월을 하도록 우리끼리 교신을 하기도 했다. 지금도 그리운 시절, 뭔가 회사 밖에서 다른 직함을 달고 있었던 때를 생각하니 나라가 힘들어 했지만 나에게는 꽤 좋은 시기였던 그 때, 무쏘 클럽 부회장이라는 이름을 달고 있었을 때도 생각이 난다.

사전답사 준비

대만으로 간다는 게 아직은 실감이 나지 않는다. 인사팀과 연봉과 처우에 대한 협의가 끝났고 계약서에 사인까지 해서 보내긴 했지만 말이다. 정말 가는 것인지 아닌 것인지. 아직까지는 꿈을 꾸는 것만 같다. 지금 다니는 회사에는 퇴사를 하겠다 이야기만 했지 아직 사직서도 제출하지 않은 상태이기도 하다. 회사 내에서 아는 사람은 세 사람, 결국 내 사직서에 사인을 해야 할 세 분이다. 제일 먼저 찾아간 분은 사업부장님이다. 이전 회사에서 나를 잘 봐주셔서 결국 이곳까지 나를 데리고 오셨다. 많은 신경을 써 주신 점은 고마워하고 있다. 잘 풀리시는 듯싶은데 너무 스트레스를 많이 받고 조급증을 내고 있어 약간 걱정도 되는 분이다. 사업을 어느 정도 궤도에 올려놓고 있어 올해는 전무 진급을 하지 않으시겠나 싶다. 내가 그만두려고 하는 이유를 말씀드렸고 이런 저런 대안을 주셨지만 사실 뾰족한 수가 없는 대안이었다. 죄송하지만 내 생각은 변함없다고 말씀을 드려야만 했다. 팀원들에게는 여름 휴가가 끝나고 이민을 생각하고 있다고 넌지시 운을 띄워 놨었다. 이렇게 급속도로 진행 될 줄은 몰랐지만 그래도 어느 정도 가능성이 있었기 때문이다. 팀장에게는 주변에 아무도 없을 때, 슬쩍 이야기를 했다. 내가 큰 결심을 한 것을 알기 때문에 굳이 잡으려는 제스쳐를 취하지 않고 이런 저런 조언을 해준다. 다음은 내 직속 상위 조직의 장이다. 올해

상무로 진급을 해야 하고 본인의 상사인 사업부장도 전무로 진급을 해야 해서 그런것인지 의외의 모습을 보여준다. 요즘 애들말로 얼척없다. 퇴직서를 제출하지 않고서 내가 면담을 신청했으니 사전 퇴직면담 정도라고 해야 할까? 퇴직 면담을 하게 되면 일반적인 첫 질문은 '왜 그만두느냐?'는 것이고 거기에 양념으로 '당신은 일을 잘해서 기대가 컸는데...' 정도를 곁들이게 된다. 30 분 정도 면담을 할 것이라고 생각을 했다.

본인의 상사, 사업부장이 얼마나 당신을 데리고 오려고 신경을 쓴지 알지 않느냐. 이번에 영전하셔야 하는데 문제라도 되면 어떻게 하느냐. 이런 말들로 이야기를 꺼낸다. 어줍잖은 협박인가? 뭐 그런 생각도 잠시 들었다. 속으로 헛웃음만 짓다가 3 분도 채 안되어서 나왔다. 생각할 수록 점점 기분이 나빠지는 그런 기억이다.

이런 저런 일들과 함께 실감을 하지 못하고 있을 무렵, 이메일이 날아왔다. 사전답사를 집사람 호짱과 함께 2 주 후에 오라고 했다. 서로 모국어가 아닌 영어로 메일을 주고 받는데도 나를 배려하고 있다는 생각이 들어 기분이 좋았다. 항공편과 호텔을 예약해 줄 것이라고 했다. 2 박 3 일 일정인데 하루는 부동산과 내가 살 집을 보러 다닐 수 있도록 미리 수배를 해 놓겠다고 했다. 또 하루는 아이들 학교를 방문한다고 되어 있었는데 어느 학교를 보러 갈 것인지 정해주면 방문 예약까지 해 주겠다고 했다. 목요일 인천을 출발해서 토요일에 돌아오는 일정으로 목요일과 금요일만 일을 볼 수가 있을 것 같다. 그런데 갑자기 호짱이 좋은 아이디어를 냈다. 아이들도 함께 가자는 것이다. 비용은 회사에서 대주지 않는다고 하면 우리 비용으로 가자고 한다. 비행기 값이 얼마나 들지 모르지만 같이 가는 것도 좋을 것 같았다. 그래야 두 번 걸음을 안하게 되지 않을까 싶다. 그래서 아이들 학교를 돌아본다니 아이들도 같이 가겠다고 했다. 아이들 비용도 대 주면 좋겠다고 메일을 써 봤으면 어떨까 지금 생각해 보지만 난 곧이 곧대로 자비로 아이들은 데려갈테니 호텔 예약만 큰 방으로 바꿔달라고 했다. 이것 저것 일이 많을 것 같아 가능하면 목요일 일찍 출발하고 싶다고 했더니 제일 빠른 항공편은 진에어인데 그 다음편인 대한항공을 타고 오는 것이 어떻겠느냐고 한다. 대만에서 일을 하게되면 유럽을 자주오고 갈텐데 대만의 국적이 중화 항공을 자주 타게 될 것이라고 생각을 했었다. 그러니 사전 답사 역시도 대만 자국기를 예약해 주지 않을까 생각을 했던 것이다. 그런데 대한항공을 추천 해 줬다. 사전 면담에서 보여줬던 내 상관과는 비교되는 나에 대한 배려로 보여졌다.

아이들은 한국에서 수업이 있는 목요일과 금요일에 대만 방문을 위해서 체험학습을 신청한다고 들떠 있었다. 난 애들 항공권을 끊어야 했다. 아시아나 마일리지를 대부분 가지고 있어서 혹시나 아시아나 마일리지 항공권을 티켓팅 할 수 있다면 대한항공에서 아시아나로 바꿔 줄 수 있는지 물어보려고 했다. 그런데 아쉽게도 마일리지는 충분한데 보너스 항공권 여유 좌석은 없었다. 다행히 얼마 남지 않은 대한항공 마일리지로 둘째 티켓을 끊었고 막내는 카드 결제를 했다. 아이들 좌석까지 잡아주고 나니 이제 조금 실감이 나는 듯 싶기도 하다. 나를 제외한 가족들은 놀러가는 것처럼 느끼는 것 같았다. 호짱은 이야기하진 않지만 새로운 문화와 언어에 나름 부담을 갖고 있는게 분명하다. 한번 프랑스에서 겪었기 때문에 어렵지 않을 듯 싶기도 한건 순전히 내 생각이다. 호짱이 언어를 배우는 것은 쉽지 않은 선택임에는 분명하다. 난 빨리 중국어를 배워야겠다는 생각이 앞섰다. 주재원이 아니고 현지에서 채용이 되는 경우이다보니 더더욱 빨리 언어를 배워야 하지 않겠나 싶은 생각이 든다. 그네들과 함께 어울리려면 말이다. 그렇다고 시간을 내서 공부를 하자니 손에 잡히지도 않았다. 어떻게 표현을 해야할지 모르겠다. 그냥 한편으로 가슴이 답답하다. 과연 잘 할 수 있을까 하는 걱정도 된다. 지금까지 잘 해 왔으니 자신이 있기도 하지만 한편으로는 많이 걱정이 된다.

OOOoooOOO

신모 대리님이 있었다. 법인 총무팀에 계시는 분으로 본인의 본래 업무에 더불어 주재원이 파견이 되면 주재원의 초기 적응을 돕는 업무를 맡고 있었다. 집 얻어주고 필요한거 알아봐주고 아이들 학교 정하는데 필요한 것, 그리고 체류증이라고 하는 외국인 등록증을 만드는 것까지 도와주는 부가적인 업무 말이다. 이런 지원 업무가 없었다면 어떻게 첫 해외 생활에 적응을 할 수 있었을까 싶다. 아주 작은 것부터 하나 하나 챙겨줬었다. 말이 통하지 않으니 은행도 같이 가서 계좌 개설도 도와줬었고 당연히 집도 같이 보러 다녔다. 당시만 해도 내 영어 실력은 그다지 좋지 않았기 때문에 영어가 되는 프랑스인을 만나서 집 계약하는 것은 쉽지 않았을지도 모른다.

처음엔 방이 몇 개가 필요한지를 알려달라고 했다. 엑셀 시트에 이것 저것 질문을 담아서 말이다. 정이 없다고 느껴졌다. 뭐 이런 것까지 문서를 만들어 돌리나 싶어서 말이다. 그런데 그게 다 연륜이었다. 하도 많은 주재원들을 관리하다보니 혹시나 놓치는 것이 있을까 싶었던 것이 아닐까 싶다. 엑셀 시트를 작성해서 회신을 보내고 며칠 후에 다시 메일이 왔다. 여러개의 시트로 이루어진 엑셀이었는데 각 시트마다 집 정보가 빼곡했다. 당시 대략 일곱집 정도를 돌아봤던 것으로 기억을 하는데 그 중에 몇 채는 지금도 기억에 남는다. 제일 기억에 남는 것은 신개선문이 있는 동네와 멀지 않은 곳이었다. 벽난로가 있고 지금도 사용을 한다고 해서 기대를 했던 집 중의 하나였다. 벽난로에 대한 로망 같은게 있었다고 해야 할까? 영화에서 보던 벽난로를 생각했고 거기서 불멍을 하는 모습을 잠깐 상상하기도 했다. 정말로 집이 좋았다. 하얀 대리석이 깔려있었던 것으로 기억을 한다. 상들리에도 멋지고 말이다. 이건 나중의 기억에서나 멋진 기억으로 각색이 된거다. 처음 이 집을 들어섰을 때 집에서 나는 나무탄 찌렁내 비슷한 냄새로 머리가 너무나 아팠다. 미처 실내에서 나무를 태웠을 때 나는 냄새는 상상을 하지 못했던 것이다. 얼마나 냄새가 심했던지 상상을 초월했었다. 더이상 생각할 것도 없이 집을 나서면서 바로 얘기를 했다.

"신대리님, 여긴 정말 좋은데 냄새가 정말 역하네요"

신대리님이 씨익 웃는다. 그렇게 대상에서 바로 제외되었다.

두번째로 생각이 나는 집은 창밖 하나 가득 에펠타워가 눈을 사로잡는 집이었다. 파리시내 15 구, 에펠탑도 있고 한인 마트등이 몰려있어 한국인이 살기엔 가장 좋은 곳 중의 하나이고 관광객도 참 많은 동네다. 말한대로 창 하나가득 에펠탑이 들어오는 것은 마음을 설레게 할 정도로 좋았다. 창밖 풍경, 전망 좋은 집에 살고 싶은 내 마음을 알았는지 이런 집을 소개해 줬다. 하지만 여기도 선택지에서 탈락했다. 우선은 퍼니쳐드로 가구들이 이미 구비된 아파트였다 많아도 너무 많았다. 어느 정도로 많았느냐 하면 쉽게 설명해서 여기 살다가 여행간다고 짐을 싸서 캐리어 들고 떠난 집에 집구경을 온 느낌이었다. 지금으로 얘기하면 장기 여행가면서 에어비엔비로 내 놓은집 정도라고 해야할까? 거기에 벽지는 빨간색 천으로 되어있었다. 약간 헤진곳도 이곳 저곳 보이는 낡은 빨간색, 전망이 좋아서 짐을 치워줄 수 있는지 벽지를 바꿔줄 수 있는지 물었지만 대답은 "노" 였다. 너무나 아쉬운 집이었다. 다른 집들도 궁금할텐데 그건 다음 편을 위해서 소개하련다.

모름지기 집을 보는 것은 남자보다는 여자의 몫이다. 주로 살림을 하는 사람이 편리성이나 집의 구조는 어떤지 그리고 수압이 좋은지 어떤지 살펴봐야 할 것이 한 두가지가 아닐 것 같다. 혼자 집을 보러 간다고 했을 때, 호짱이 알려주는 것을 하나하나 적어서 모두 확인했었던 기억이 난다. 그럼에도 아쉽게도 내가 집을 보고 결정을 하자니 어려웠다. 한국의 집과는 다른 면이 많았기 때문이었다. 큰 문제로 속아 내는 것은 이렇게 할 수 있을지 몰라도 남은 집 중에서 어느 것을 골라야 할지는 아무래도 호짱과 많은 얘기를 해야 했다.

마지막 면담

퇴사 프로세스에서 어느분께 최종 재가를 얻어야 하는지 모른다. 하지만 최소한 사업부장에게는 허락을 받고 그만두는 것이 도리라고 생각했다. 그리고 우리 사업부 최고의 책임자이기도 하다. 사내에서 나를 가장 챙겨주시는 분이고 이곳 계열사로 불러주신 것도 사업부장님이었기 때문이다. 물론 업무적으로 뿐만 아니라 개인적으로도 좋아하는 분이다. 2 주 전 즈음에 잠시 운을 떼놨다. 어느 정도 확정이 된 상황이었다. 무작정 그만두겠다고 한 것이 아니라 아이들 때문에 결정을 내렸고 거의 마지막 단계라고 말씀드렸다. 그분 입장에서는 무작정 그만두겠다고 느끼셨을 수도 있겠다 싶다. 사업부장님은 놀라시면서도 이런 저런 조언을 해주시기도 했다. 그리고 확정이 된 후, 며칠 전 새벽 출근길에 뵙고 인사를 드렸다. 그리고 잠시 시간이 되시느냐고 말씀을 드렸더니 '지난 번 얘기하던거 때문에 그러는구나'라고 하셔서 그렇다고 말씀을 드렸더니 얼굴이 굳어지시면서 나중에 얘기하자고 하셨다. 평소 같으면 차나 한잔 하자고 하셨을텐데 죄송한 마음이 들기는 했지만 어쩔 수 없이 드려야 하는 말씀이었다.

사업부장이란 자리는 일정이 30 분 단위로 짜여져 있고 일부는 겹치는 것도 있을 정도로 바쁘다. 어제는 점심 시간을 통해 다른 사업장에서 돌아오시는 시간에 차 안에서까지도 일정을 소화하셔야 할 정도다. 그분의 일정표를 보면서 아무래도 만나뵙고 허락을 받기 어렵겠다는 생각을 했다. 9 월 10 일이 지나가고 있고 난 10 월 20 일 이전에 그만두고 싶은데 중간에 추석도 있고 다음주에는 해외 출장도 있으셨다. 이런 일정이 없어도 일주일에 이틀은 타 사업장으로 방문을 하시는 일정이 항상 있다보니 회의석상이나 새벽 출근길에 마주치지 않으면 뵙기가 어려운 것이다. 그나마 그분이나 나나 오전 6 시 20 분 정도면 사무실에 도착을 하는데 나는 사내 휘트니스, 사업부장님은 사외 휘트니스에서 운동을 하다보니 마주치는 경우는 한달에 서너번에 불과한 것 같았다. 내가 운동을 하지 않고 사업부장님과 우연을 가장한 만남을 갖고자 하지 않았으면 뵙기가 쉽지 않았을 것이다. 그래서 두 번을 마주쳐 한번은 운을 떼고 한번은 마지막 말씀을 듣고자 했으나 기회를 얻지 못했다. 그리고 일정을 봐도 뵙기가 쉽지 않을 것 같았다. 이번주까지만 사업부장께서 불러주시길 기다리고 그렇지 않으면 금요일에는 사직서를 제출하리라고 마음을 먹고 있었다.

퇴근 시간이 다 되어 정리하기 전에 화장실로 가는 중에 사업부장을 만났다. 다른 분과 말씀 중이셔서 사업부장은 날 보지 못하셨고 난 화장실을 들러서 다시 내 자리로 돌아오고 있었다. 여전히 말씀 중이셨다. 말씀을 방해하는 것 같아 모르는척 자리로 돌아가고 있었는데 사업부장님이 부르셨다. 마침 말씀이 끝난 듯 했다. 그렇게 잠깐의 면담이 이어졌다.

바쁜 일정으로 많이 피곤해하셨다. 오후 일정 내내 서 계셨는지 허리쪽을 아파하셨다. 대만으로 가는 것이 확정된 것이냐고 물어보셨다. 그렇다고 대답했다. 연말에 갈 생각이냐고 물어보셨다. 당장 다음달 말 쯤에 가서 아이들을 가을학기에 넣고 싶다고 말씀드렸다. '다 정해졌구나'라고 말씀하셨다. 나를 위해서 부사장님까지도 말씀을 드리며 연말에 SW 개발 전체를 맡길 그림을 그리고 계시다고 했다. 믿고 맡길만한 사람이 없다고 하셨다. '어떻게 하나?'라고 혼자서 되뇌이셨다. 우리가 하는 비즈니스에 대한 이해도가 높은 다른 팀장을 추천했으나 너무 어리다고 했다. 역시나 우리 문화는 아직도 경험이나 지식 또는 이해도도 중요하지만 나이가 한 몫하는 것 같다는 생각을 했다. 과감하게 기용해 보시라고 조언을 드렸지만 그게 중요한 대화 주제는 아니었다. 보살펴 주시고 기회를 주시려고 한 것에 대해서 감사하기도 하고 죄송하기도 하다는 말씀을 몇 차례드렸다. 그렇게 말씀을 드리고 싶었다. 그만두는 입장에서 그런 말씀이 무슨 소용이 있을까마는 나를 인정해 주신 분이기에 고마웠다. 대화는 길지 않았고 다음에 저녁이나 같이 하자고 하셨다. 다시 한번 죄송하다고 말씀드리고 나왔다.

30 년 가까이 직장생활을 한 중에서 만 15 년이 넘는 시간 동안 이 회사에서 일을 했고 이 분과는 10 년을 같이 했다. 거의 10 년 동안 내 상사였다. 이 분과의 생활 뿐만 아니라 15 년을 넘게 일하던 회사에 이젠 사직서를 내야할 시점이고 별다른 이슈없이 처리가 될 것이다. 이런 생각을 하니 싱숭생숭 기분이 영 좋지는 않았다. 운전하면서 집으로 가는 한시간 동안 그랬다. 집에 도착해서까지도

한숨이 나오기도 했고 저녁을 먹고 나서 컴퓨터 앞에 앉아 있었는데도 일이 손에 잡히지 않았다. 평상시 보던 유튜브 채널을 틀어도 집중이 되지 않았다. 그래서 집을 나섰다. 생각할 것이 많거나 스트레스가 많거나 할 때 그랬듯이 두어시간을 걸었다. 그냥 발길 닿는 대로 그냥 걸었다.

그리고 며칠 후, 쓸데없는 걱정을 또 하고 있는 나를 보고 피식 혼자서 웃었고 말았다. 그날도 평상시와 마찬가지로 5 시 30 분 기상을 했다. 회사에서 운동을 하면 양치만 하고 출근을 하지만 요즘은 운동을 하지 않으니 머리까지 감고 드라이를 하고 출근길에 올랐다. 평상시보다 10 분 정도 늦게 출발을 했는데 올림픽대로에 차가 평상시보다 조금 많은 것 같았다. 사무실에 도착을 해서 엘리베이터를 타고 5 층에 내렸다. 평상시와 크게 다르지 않았지만 비상구 외에는 불켜진 곳이 없는 것으로 봐서 아직 출근한 사람이 없었다. 언제나 맞아주는 것은 청소하는 여사님 뿐이다. 평상시와는 다르지 않겠지만 이제는 인수인계를 고려해서 업무를 해야한다. 내가 하던 일이 전에 누가 하던 일을 받아서 하던 것이 아니다보니 인수인계를 받을 사람이 없다. 그냥 공백으로 두기엔 빈자리가 티가 날텐데 하는 걱정이 된다. 난 이런 쓸데 없는 걱정을 하고 있었다. 우리 회사는 작은 회사가 아니다. 큰 대기업이다. 아무리 내가 잘났어도 회사는 잘 돌아간다. 그게 대기업의 힘이다. 물론 나 한사람으로 인해서 힘들어 하는 사람이 없진 않겠지만 말이다. 이렇게 정답을 알고 있으면서도 난 쓰잘데기 없는 걱정을 하고 있었다.

OOOoooOOO

프랑스로 파견을 나가기 전에 한달여 동안 출장을 다녀왔다. 생전 처음 프랑스, 아니 유럽에서의 몇 주에 걸친 첫 생활이었다. 정신없었던 출장을 마치고 사무실에 출근을 해 있는데 팀장이 호출을 했다. 나의 직속 팀장은 아니었고 프로젝트를 맡고 있는 팀의 팀장님이셨다. 앞으로 나의 새로운 보스가 될 분이다. 파견을 나가면 어떤 일을 해야한다는 업무 관련 말씀을 하실 것으로 생각했는데 면담의 방향은 이상한 곳으로 흘러가고 있었다. 팀장님 한 분이 아니라 나와 같은 각 분야의 프로젝트 리더들도 있었던 것으로 기억이 된다. 그러고보니 그자리에 있었던 세 명은 모두 상무 진급을 했다.

"프랑스 파견을 안나가면 어떨까 싶어서 말씀 나누시자고 했습니다" 전혀 생각치 않았던 방향의 이야기가 전개되기 시작했다. 난 제품을 개발하는 조직의 일원이 아니고 CTO 라는 선행연구개발 조직의 연구원이었다. 선행연구개발 조직은 관련된 기술이 적용되는 양산 프로젝트가 있을 경우 양산 프로젝트를 수행하는 조직으로 이동을 하게 되는데 내가 바로 이런 케이스였다. 내가 자동차 쪽으로 가지고 있었던 기술은 크게 없었지만 국내 첫 안드로이드 스마트폰을 양산할 당시의 멤버였고 어플리케이션을 개발했었던 팀이 아닌 안드로이드 자체를 개발 수정하는 업무를 했었다. 그런데 자동차에서도 안드로이드를 활용하는 첫 프로젝트를 시작한다고 해서 양산조직에서 소프트웨어 쪽 프로젝트 리더를 맡게 되었던 것이다. 그런데 갑작스레 파견을 나가게 된 것이다. 팀장의 말씀은 이랬다. 먼저 안드로이드라는 것을 개발해 본 인력이 전혀 없는 상황에서 프로젝트를 시작하게 되었다는 것이다. 나도 물론 알고 있는 이야기이긴 했다. 그래서 내가 프로젝트 리더로 오게 되었는데 갑작스레 프랑스로 파견을 나가게 된다면 공백이 너무 클 것 같다는 취지였다. 파견은 다음에도 기회가 있을 수 있으니 이전엔 한국에 남아서 제품 개발을 도와 달라고 했다.

설득력이 있었고 상당한 예의를 갖추고 하는 말씀이었다. 거기에 있는 다른 멤버들도 마찬가지였다. 난감했다. 맞는 얘기이기도 했기 때문이다. 한참 동안 말을 잇지 못하다가 내가 한 얘기는 그랬다. 먼저 해외 파견을 바로 수락하게 된 사유다. 하늘이의 해외에서 공부와 그 자격에 대한 얘기였다. 재외국민해외특별전형이라는 특례 입학자격을 얘기했다. 지금 나가지 않으면 4 년 후에나 기회가 오는데 너무 늦다는 것이었다. 당연히 그랬다. 다음은 개발은 우리 인원이 전적으로 붙어서 하는 것이 아니고 외주 업체까지도 같이 개발을 하기 때문에 내 자리가 크지 않을 것이며 해외에서도 충분히 지원을 할 수 있지 않겠느냐는 취지로 말씀을 드렸다. 마지막으로 사족이지만 벌써 나가기 위한 프로세스가 집에서도 이루어지고 있다고 했다. 물론 되돌릴 수는 있었다. 하지만 그러고 싶지 않았다. 갑작스런 해외 파견에 대한 제안을 받고 처음엔 망설인 것도 사실이었다. 해외 생활에 대한 생각은 있었지만 과연 큰 놈을 위해서 나가야 하나 아니면 고사를 해야하나 한동안 망설이고 고민에 고민을 하다가 최종 결정을 내린지가 얼마 되지 않았다.

사정 얘기를 하고 결정 과정도 얘기하고 원격에서도 많은 지원을 하겠다는 다짐을 하며 오랜 대화가 이어졌던 것으로 기억을 한다. CTO 쪽에서 이미 내린 결정인데 사업을 담당하는 사업부에서 파견을 재고해 달라는 요청이니 내 의견을 강제하기도 어려웠으리라. 어찌보면 해프닝으로 끝난 면담이었지만 당시엔 양 당사자 모두 꽤나 심각했었다. 다행히 모두 상호 존중하에 대화가 이루어졌었기에 그 이후에는 표면적인 마찰은 없었다.

지금도 그때를 생각하면 '남는게 맞는 선택이지 않았을까?' 하는 생각을 하곤 한다. 회사일이 물론 중요하지만 개인적인 사정도 고려가 되어야 한다고 생각했다. 답이 없었다면 아마도 강력하게 날 잡지 않았을까? 스스로 위로를 해 본다.

소문이란

세상에 비밀이란 없는 것 같다. 사업부장에게 퇴사하는 것에 대해서 동의를 얻어내고 퇴사 프로세스를 진행하기 위해서 인사과 담당과 얘기를 하니 벌써 알고 있었다. 물론 사업부장께서 인사팀장에게 얘기했을 수도 있겠다.

그리고 회사에서 일이 진행이 되는 것 때문에 잊고 있었던 우리 아파트일은 갑작스런 전화가 나를 당황하게 만들었다. 어쨌거나 회사를 그만두는 것도 그만두는 것이지만 1000 여 세대의 아파트 입주자대표회의 회장직을 내려 놓는 것도 일이다. 갑작스레 그만두면 일이 중단될까 우려해서 이사진들에게만 알리고 상의를 했다. 총무이사님, 환경이사님, 기술이사님 세 분께 사정을 말씀드렸다. 한국회사를 퇴사하고 대만에서 새로운 회사에 입사를 하는 것이 아니라 지금 회사에서 대만에 주재원으로 파견을 나간다고 했다. 그게 뒷말이 더 없을 것 같아서였다. 그런 상태에서 아파트에서 가장 큰 공사라는 도색 및 방수 공사 입찰공고를 올리는 일까지 진행을 했다. 여기서도 우여곡절이 많아서 처음 입찰공고를 올리고 닷새째 되는 날 현장 설명회가 개최가 되는데 현장 설명회 당일날 현설이라고 보통 말하는 현장설명회를 취소했다. 민원이 들어왔기 때문이었다. 방수 공사 공법을 하나만 하면 안된다는 민원이었다. 하나만 해도 되긴하는데 담합에 따라 덤탱이를 쓸 수 있다는 것이 민원의 요지였다. 민원을 해결하기 위해서 구청에 확인을 하고 비용 절감을 위해서 최대 공사비를 명시했다. 그런 후에야 여러 개의 공법과 상한가를 정해서 입찰공고를 올렸다. 그런데 상한가를 정한 방식에 문제를 제기한 사람이 있어 부랴부랴 수정하고 대표님들의 전원 동의를 카톡으로 얻어서 입찰공고를 냈다. 이럴 경우 정기 회의에서 추인을 하면 문제가 없다고 했다. 그러고 나서 한숨 돌리고 있었는데 오늘 전화를 받은 것이다. 이사님들 밖에 모르는데 전화를 하신 분이 대뜸 하시는 말이 '해외 나가신다면서요?'였다. '어떻게 알았을까?' 하는 당황스러움을 감추고 '네 갑자기 그렇게 되었습니다'라고 대답을 하자 전화가 툭하고 끊겼다. 꽤나 황당한 상황이다. 퉁명스런 목소리로 물어보곤 전화를 끊었으니 말이다. 아는 사람이 누가있을까? 혹시라도 호짱씨가 집을 내 놓으면서 우리가 회장이라고 얘기를 했나? 아니면 이사님들 중에서 누군가가 얘기를 하셨나?

전화를 하신 분은 우리 아파트 헬스장유지 비상대책위원장이셨다. 1999 년에 완공된 우리 아파트는 헬스장이 원래 없었는데 입대의에서 2002 년 경에 주차장을 막아 헬스장으로 임대를 줬단다. 그런데 주차장을 막아 놓은 것이니 불법 건축물이라는 것이 문제였다. 특히 소방법에 저촉이 되는 부분이 크다고 했다. 그렇게 불법으로 운영이 몇 년 전까지 지속되어 오고 있다. 그러다가 작년에 누군가의 민원으로 인해서 구청에서 헬스장 철거를 명령했다. 그런데 오래된 아파트의 유일한 커뮤니티 시설이다 보니 계속 사용을 하고 싶어하시는 분들이 많았다. 가능하면 헬스장을 법적 테두리 안으로 가져오려는 시도를 여러분께서 해 주셨다. 이런 고생을 해 주시는 비상대책위원회 위원장이 전화를 하신 것이다. 이 분들도 서러움이 있는 것이 입대의에서는 임대를 줘 놓고서 오히려 철거를 위해서 명도소송을 제기해 놓았다는 것이다. 불법으로 헬스장을 임대를 줬고 현재 관장님이 7 번째라고 한다. 보증금 2 천만원에 권리금 7 천을 지불했다고 했다. 명도소송을 진행 중이니 결국에는 철거를 하는 쪽으로 입대의는 방향을 잡았던 것인데 아쉬운 부분이 있었다. 구청에서는 철거를 하고 다시 헬스장을 만드는 행위허가를 내라는 논리였기 때문이다.

입주민의 많은 수가 헬스장 유지를 원한다는 것을 알고 있었다. 유일한 아파트 커뮤니티를 잃고 싶지 않은 것 같았다. 난 회사 휘트니스를 이용하기 때문에 한번도 가 본적은 없지만 유지되는게 좋겠다는 의견은 같았다. 그런데 이전 입대의에서는 어쩐일인지 없애는 쪽으로 가닥을 잡았던 것 같다. 의결을 통해서 유지로 방향을 잡고 구청에 입주민의 의지를 전달하기 위해서 주민 투표를 했다. 77% 찬성표를 가지고 구청장을 만났고 다시 알아보자는 원론적인 얘기를 들었다. 그래도 다시 얘기를 할 수 있는 상황까지는 된 것이다. 그런데 내가 해외로 나간다니 도망을 가는 줄로 알았을까? 왜 알리지 않았느냐는 원망일까? 거봐라 니가 뭘하냐? 라는 비아냥이었을까? 전화를 받고 기분이 별로 좋지 않았다. 누가 그랬을 것이라는 의심은 있지만 증거도 없는데 뭘 어쩌겠는가? 그리고 사실을 얘기한건데 뭐 어쩔 수 없는 일이기도 하다. 한편으로는 속시원하기도 했다. 알릴 것은 바로 알리는 것이 좋은데 이사님들의 의견을 따른 것이니 그랬다. 이사님들께 소문이 났다고 얘기하니 한 분은 본인은 모르는 일이라고 오해하지 말라며 제발저려한다. 속으론 기분은 나빴지만 오히려 잘되었다고 카톡을 달고 집에 왔다.

저녁을 먹으려는데 대표님 한 분이 전화를 하셨다. 식사나 같이 하던지 차라도 하자고 하신다. 같이 동대표 회장에 출마하셨었던 대표님이다. 투표 하루 전날, 전화를 했었던 헬스장 비대위원장님, 지금의 감사님, 법률자문을 하고 계신 모 회장님과 함께 다섯이서 만났었다. 갑작스럽게 전화를 받고 나간 자리였다. 조금은 황당한 제안을 받았는데 후보 단일화를 하자고 하신다. 대승적 차원에서 이번엔 다른 대표님으로 후보 일원화를 하고 다음에 출마를 하면 어떻겠느냐는 말씀을 하셨다. 며칠 전에라도 얘기하셨다면 고민스러웠을 수도 있겠다 싶었다. 그런데 투표전날 뜬금 없이 만나자고 해서 생전 처음 보는 자리에서 후보 사퇴를 하라는 소리는 너무 정치 뉴스를 많이 보신게 아닌가 하는 생각을 하면서 다음날 투표시작 전까지 대답을 하겠다고 했다. 다음날에는 단일화는 죄송하지만 현재 시점에선 아닌것 같다고 문자만 덩그러니 드렸다. 그렇게 투표가 진행되었고 운이 좋게도 내가 당선이 되었다.

단일화를 하자고 하셨던 대표님과도 잘 지내야 했다. 왜냐하면 우리 아파트 대표님들은 그야말로 중도파가 있고 대립하는 두 파벌이 있는데 난 한쪽 편만을 들 수 없었고 상호 견제를 할 수 있는 체제를 가지고 가고 싶었기 때문이다. 웬 아파트에 파벌싸움이냐고 하겠지만 입대의에 한번 참석해 본다면 바로 알 수 있다. 나름 본인들의 이익을 깔고 가는 사람들이다. 그 이익이라는 것이 금전적일 수도 있고 아닐 수도 있다. 증거가 서로 없기 때문에 날선 비방이 자주 오고 갔다. 난 프로세스적으로 최대한 누군가가 이익을 볼 수 있는 구조를 막고자 할 뿐이었다. 날 추천하고 뒤에서 힘써 준 분이 이사님 중의 한 분이었고 이 분은 그 대척점에 있는 분이다. 가끔 전화통화로 조언을 얻었던 터였고 나와는 그리 나쁜 관계는 아니었다. 나로서는 후보 단일화를 해주지 못한데 대한 약간의 미안함 정도를 가지고 있었다. 혹시나 내가 그만두는 것에 대해서 따지려고 하시나? 하는 생각도 잠깐 하긴 했다. 그런들 어쩌랴. 갑작스럽게 정해진 것을 말이다. 그래서 약속장소로 나갔다. 역시나 소문을 알고 계셨다. 본인께서는 회장이 안된 것이 잘된 일이었다고 말씀하시면서 내가 받을 스트레스가 엄청 날 것이라고 위로했다. 그리고 이번에 난 소문이 진짜 소문일 수도 있다는 생각을 하셨다고 했다. 내가 스트레스 받는게 힘들어 거짓으로 해외 파견을 나간다고 말이다. 그리고 소문의 근원은 역시나 모 이사님이셨다. 내가 나가고 나면 다시 본인의 편이 필요했는지 다른 대표님들께 전화를 걸어 자기와 의기투합해 보자는 투로 말씀을 하고 다니신다는 것이었다. 본인께서 회장으로 출마를 하셔도 될텐데 굳이 전면에 안나서고 뒤에서 누군가를 회장으로 앉히려는 의도가 궁금하다. 어쨌거나 역시 나의 추측이 틀리지는 않았다. 솔직하게 이제는 그러거나 말거나다. 난 흔들리지 않고서 내가 할 일들을 했으니 말이다.

OOOoooOOO

프랑스에 나간 이후로 한국 출장은 정말 가뭄에 콩나듯이 있었고 프랑스에는 새로운 고객과 미팅을 위해서 평상시에는 들어보지도 못했었던 별의 별 조직에서 출장을 오기 시작했다. 내가 담당했던 프로젝트로 인해서 프랑스에 사무실이 차려졌고 나 밖에 없었으니 회사의 모든 방문객들과 함께 대부분의 미팅에 참석도 하고 안내도 해야했던 것이다. 영문으로는 Head of office 라는 명칭을 썼다. 대표(Representative)라고 명함을 파라는 법인장의 조언이 있었으나 난 듣지 않았다. 왜냐하면 내가 싫어하는 한국인의 특성 때문이었다. 물론 구두 영어로 나를 소개할 때는 Representative 라고 하기도 했다. 그럼 어떤 부분이 달랐을까 얘기해보려고 한다.

한국인은 이상하게도 비슷한 위치에 있는 사람이라면 그리고 당사자가 없는 자리라면 동료를 자기 아랫 사람쯤으로 깔아버리는 경향이 있다. 바로 내가 당한 경우인데 가해자들은 그것이 어떤 의미인지 모를 수 밖에 없어 본인들이 뭘 잘못했는지를 알지 못한다. 윗 사람들이 그런 것들을 알려줘야 하는데 그 위에 있는 분들도 마찬가지다보니 어쩔 수 없이 모든 것은 현지에 있는 내 몫이었다. 이것도 일종의 일하는 문화 중의 하나가 아닐까 하는 생각도 든다.

해외에서 현지인들과 작은 조직을 꾸려 회사를 대표해서 고객과 상대를 하는 것이 내 몫이었다. 그렇다보니 내가 만나야할 고객은 말단 직원부터 고객사의 임원까지 다양할 수 밖에 없었다. 프로젝트 리더에서 그런 자리로 옮겼으면 그 자리를 인정해 줘야하는데 그냥 본인들의 동료 내지는 현지에서 본인들을 지원해주는 엔지니어로 회사내 모든 사람들이 고객과 소통을 하고 있었다. 그런일만 하는 사람이 아니라는 것을 인정해 주기 싫었던 사람들이 있었는지도 모르겠다. 물론 아예 내가 하는 업무를 모르는 사람도 있었다. 내가 스스로를 본사에 소개할 기회는 없었고 본사에서는 우리 엔지니어가 거기 있으니 본인 대신 지원을 하게 하겠다는 얘기들만 해 댔으니 고객 입장에서 나를 바라보는 시선은 그냥 엔지니어 그 이상이 아니었다.

현지에서는 자주 고객사의 매니저급 이상과 만나 프로젝트 얘기를 해야하는데 한낱 엔지니어와는 얘기를 하려고 하지도 않았을 뿐더러 메일을 써도 답장을 받기 어려웠다. 지금은 그나마 조직이 커져서 이런 일은 없을 수도 있겠다 싶긴 하다. 어쨌거나 난 고객사의 특정 인물을 만나기 위해서는 하염없이 담당자 사무실에서 죽치고 있거나 길목에서 대기하고 있어야 했다. 무슨 연애를 하는 것도 아니고 우연을 가장한 만남을 통해서 고객을 만나야 했다. 4 년이라는 시간 동안 내 자리를 찾는데 내 기억엔 1 년 6 개월 이상 걸렸던 것 같다. 그만큼 초기엔 어려웠다. 누군가를 고객사 대응을 위해 해외로 파견을 내보냈다면 앞장서서 소개를 해주고 좀 띄워 놔야 한국에서는 본인들이 원하는 정보를 받기도 수월했을텐데 왜 그랬는지 이해가 되지 않았다. 한국 사람의 성향이라는 생각을 하지 못했고 서운하기만 했다. 그래서 더더욱 어려운 시간을 견뎌야 했다. 한국사람의 특성이겠거니 지금은 그러고 있는데 고쳐야 할 습성이 아닐까 싶다.

더군다나 한국에 출장을 와서는 이상한 소문을 듣기도 했다. 프로젝트의 최대 수혜자가 나라는 이상한 소문이었다. 수주 금액이 내가 기억하기에 수천억이 넘는 규모였는데 내가 왜 최대 수혜자일지가 궁금했다. 뭐 사실 그래도 상관은 없었지만 말이다. 이상한 괴상한 나쁜 소문이라는 투로 친한 친구들이 내게 말해 준 것을 보면 내가 많이 부럽긴 했었나보다. 속으론 그랬다.

"부럽지?"

사전 방문과 서류 준비

시간이 지날수록 점점 한국을 떠나야 한다는 것이 실감이 난다. 엊그제는 회사에서 가족과 대만을 방문하라고 항공권을 보내왔다. 호짱과 내 항공권이다. 내가 별도로 구매한 제리와 하늘이 항공권까지 모두 준비가 되었고 호텔은 보기 드분 트윈-트윈 베드룸을 잡아줬다. 회사에서는 나와 호짱씨를 위한 호텔 비용만 대주기로 했기 때문에 아이들로 인해서 발생하는 3300 NTD 는 내가 내야 한다는 안내도 함께 왔다.. 은행에서 환전을 하려고 했더니 대만 달러는 없다고 한다. 별도로 신청을 하면 며칠 내로 가져다 준다고 했다. 그러느니 앱으로 신청하고 공항에서 받는 것이 낫겠다 싶다. 신용카드를 많이 안쓰는 나라라고 하지만 웬만한 곳에서는 사용하지 않을까 싶다. 호텔비 같은거야 당연히 될 거고 혹시나 택시를 탈 일이 있으면 간단하게 우버를 사용하면 될 것 같았다. 그러니 대략 30 만원 정도만 환전하면 되지 않을까 싶다.

어제는 일을 하기 위해 필요한 Work Permit(취업허가서)을 신청해야 한다고 서류를 요청해 왔다. 하나 둘씩 새로운 환경으로 들어가는걸 실감을 하게 한다. 흰색 배경의 3.5 x 4.5 사진, 여권 사본, 최종학력 졸업증명서, 퇴사 증명서 그리고 마지막으로 취업허가서 신청서를 보내달라고 했다. 다 내가 준비해야 하는 것이고 취업허가 신청서는 보내준 양식에 주소와 도장을 찍고 사인을 해 달라고 했다. 모두 한자로 된 문서다. 동생이 찍어준 사진을 보니 배경이 어두웠다.

요구사항이 흰색 배경이라 포토샵으로 배경을 지울 수 있지 않을까 하고 찾아봤는데 역시나 나한테는 무리였다. 혹시나 해서 스마트폰 앱을 찾아보니 배경을 지우는 프로그램이 있어서 배경을 지우고 흰색으로 만들었다. 여권 사본이야 바로 스캔을 하면 되는 것이니 쉽게 끝이났다. 졸업증명서는 학교 홈페이지를 들어가면 받을 수 있다. 무려 4 천원이나 내고 pdf 파일로 된 졸업증명서를 받았다. 문제는 퇴직 증명서였다. Resignation certificate 를 달라고 했으니 단어뜻 그대로 보자면 퇴직증명원이다. 아직 퇴직은 하지도 않았는데 퇴직증명원을 달라고 했다. 회사 시스템에서는 찾을 수 없는 서류였다. 회사 시스템에서 이런 저런 설명을 보니 유일하게 경력증명서는 재직 중에는 발급 받을 수 없고 재직 중이라면 재직증명서만을 발급 받을 수 있었다. 이것이 퇴직증명원을 대신할 수 있지 않을까 하고 생각을 하게 되었다. '퇴직증명원'은 영어로 혹은 대만에서만 쓰는 표현일 수 있겠다고 생각을 한 결과였다. 결국 입사일과 퇴사일만 있으면 되는 것이라는 나름대로의 결론을 얻었다. 이메일로 수차례 인사팀과 확인한 바, 아니나 다를까 필요한 서류는 결국은 내가 어디에 근무했었는지가 중요하다고 했다. 퇴사를 하지 않았으니 경력증명서도 필요없고 영문 재직증명서만 있으면 되는 것이었다.

영문 재직증명서는 시스템에서 신청하면 바로 프린트를 할 수 있었다. 그런데 아뿔싸, 회사 시스템에서 영문 재직증명서를 떼니 이름이 잘못되어있었다. 내 이름이 아닌 업무에서 한국이름이 어렵다고 사용하는 영어 닉네임이 적혀 있었던 것이다. 회사 시스템 여기저기를 기웃거리다가 이름을 바꾸는 곳을 찾아서 다시 출력을 했다. 그런데도 영어 이름은 바뀌지 않았다. 뭘 잘못했나 싶어 찾기를 한참 동안 했다. 겨우 찾은 정보에는 이렇게 써 있었다. 영어이름 수정시 다음날 반영됨!. 결국 내일에나 서류를 출력할 수 있다는 얘기였다.

그나마 다행인 것이 만약에 정말로 퇴직증명원이라는 것이 있다고 한다면 퇴사 후에나 발급을 받을 수 있을테니 퇴사 후에 바로 입사를 못하는 공백 기간이 생길 수도 있었다. 왜냐하면 취업증명원이 있어야 회사에서 나를 입사 프로세스를 진행할 수 있다고 했기 때문이다. 그리고 다음으로는 입사를 했다는 서류를 가지고서 비자를 신청하는 그런 프로세스라고 했다. 취업허가서를 받는데 열흘 정도 걸린다고 하니 이번달 내에는 받을 수 있겠다 싶다. 그러면 다음달에는 비자를 받으러 다녀야 한다. 아직 어떻게 해야하는지 찾아보지도 않았는데 벌써부터 골치가 아프다.왜냐하면 나 뿐만 아니라 우리 가족들이 프랑스 비자를 받으면서 스트레스도 받고 고생도 조금씩은 했었기 때문이다. 세상에 편하고 쉽게 해결되는 일은 없는 것 같다. 대만에서는 나를 받으려 이것 저것 준비해 주는 사람이 있는데 여기 한국에선 모든걸 내가 해야만 한다. 이게 처음이라면 그러려니 했을텐데 주재원을 나갈 땐 한국에서도, 프랑스에서도 각각 챙겨주는 사람들이 있었기에 편했던 기억 때문이다.

서류를 보낸지 꽤 오래 지난 것 같으나 겨우 이틀이 지났다. 드디어 내일은 맏이 장군이 빼고 모두가 사전답사를 위한 비행기를 타는 날이다.

ＯＯＯｏｏｏＯＯＯ

주재원들에게는 가족들과의 사전방문이란 것은 없었다. 그냥 파견 나갈 때, 가족들과 본인의 항공권을 제공해 주는 것이 전부다. 물론 복리 후생은 우리 회사의 경우 꽤나 좋았지만 4 년이라는 시간을 가족들이 함께 살아야 할 것들에 대해서 대부분 파견자가 정할 수 밖에 없었다. 당시에는 가족들과 함께 한국서 비행기를 타고 파리 샤를드골 공항으로 향하는 호사는 없었다. 그 반대로 파리 샤를드골 공항에서 인천 공항으로 돌아오는 것도 마찬가지였다. 프랑스로 향하는 비행기에 가족들이 타고 있을 무렵, 난 이미 오랜 호텔 생활을 마치고 이미 우리가 살 집에 입주를 해 있었다. 거기에 이삿짐까지 이미 도착을 해서 많고 많은 박스를 개봉해서 짐정리도 어느 정도 마친 후 였다. 가족들이 한국행 비행기를 탈 때도 난, 프랑스가 아니라 이미 독일 프랑크푸르트로 이동을 한 후 였다. 가족들이 고생을 많이 했더랬다. 그랬으니 학교에서 필요한 서류를 떼고 번역과 공증 그리고 이삿짐을 싸는 많은 업무를 호짱이 대신해야했다. 그 뿐만이 아니라 이삿짐을 싸서 보낸 이후엔

처가집으로 호짱기준 시댁으로 돌아가며 아이들과 한달 넘는 동안 소위 메뚜기 생활을 했어야 했다. 난 나대로 집 계약을 마친 후에는 더 이상 호텔비 지원이 없어 텅빈 집에서 혼자 생활을 해야했다.

한동안의 호텔 생활은 나름 좋았다. 회사에서 비용이 지원되니 호젓하게 호텔 레스토랑에서 저녁식사를 했다. 호텔은 베르사이유 인근이었다. 그래서 주말엔 베르사이유 궁전을 산책했다. 지금도 그런지 모르겠으나 4 월 새싹이 돋기 이전엔 입장료가 없었다. 그러니 호텔에서 조식 먹고 오전 내내 호젓하게 산책을 하는 것이다. 점심 무렵이 되면 당시 베르사이유에서 유일했던 궁전이라는 한식당에서 점심을 먹었다. 당연히 한식당 사장님과는 친해졌고 나중에 따로 파리 시내에서 만나 소주를 하기도 했다. 그리고 느즉이 호텔로 들어오면 나를 알아보는 호텔 직원들과 인사를 하고 방으로 올라갔었다. 그랬었는데 계약한 집, 우리가 살 집은 정말 아무것도 없는 빈집이었다. 넘. 허전해서 카펫이 깔린 집 한켠에 침낭을 사다 놓고 라면을 끓여먹을 냄비 하나 정도를 가지고 한달 정도 생활을 했다. 이런 생활을 우린 전문 용어로 난민 생활 이라고 한다. 다행인건 냉장고와 세탁기 그리고 하일라이트라는 일종의 인덕션이 옵션이어서 그나마 지낼 수 있었다.

사전답사 첫날

드디어 사전답사를 떠난다. 이 글을 쓰는 지금 우린 인천공항 터미널 2, 정확하게는 대한항공 라운지에 앉아있다. 간단하게 식사를 했고 이제는 보딩 시간을 기다린다. 정말 떠나는 것인가? 사실 아직도 긴가민가하고 있다. 실감이 나지 않는다. 이렇게 갑작스레 이렇게 빨리 진행되는 것을 보면서 과연 진짜인가 하는 생각이 들기도 한다. 볼을 꼬집으면 아프지 않다고 하면서 잠이 깰 것 같기도 하다. 그렇게 한 동안을 지내다가 공항에 왔는데도 그런 기분이 살짝은 남아 있다. 하지만 이제는 정말이어야 한다.

호짱과 나를 2 박 3 일 동안 초대를 해 준 회사에는 정말 고맙게 생각한다. 근로 계약서에 사인을 하기도 전에 고맙게도 큰 대우를 받는 것 같아서 살짝 부담스럽기도 하다. 인사팀과 인터뷰를 할 때에는 사실 두 사람만 초대를 받았다. 미처 아이들을 생각할 시간이 없었다. 초대를 받은 내용을 가족들과 이야기 하는데 아이들도 같이 가면 어떻겠냐는 의견을 호짱이 얘기했다. 아이들 학교도 방문하는 일정이 있는데 학교다닐 아이들이 보면 더욱 좋겠다는 것이었다. 더군다나 아이들도 같이 가고 싶어했다. 이미 회사에선 둘만 지원해 준다고 했는데 추가 요청을 하는 것은 내키지 않았다. 비용을 내가 댈테니 아이들도 같이 방문할 수 있게 해 달라고 요청을 했고 회사에서는 선뜻 그렇게 하겠다는 회신이 왔다. 물론 비용은 내가 댄다. 항공권도 일부는 마일리지를 써서 끊었고 호텔비용도 트윈룸에서 트윈 트윈으로 변경되었을 때의 차액을 내기로 했다.

특히 학교 문제가 걸려 있어 인사팀의 지원을 많이 받았다. 제인, 루비, 에바라는 친구들이 도와줬다. 내일엔 아이들 학교 입학시험이 두 개나 있다. 오후에는 회사를 방문해서 내 보스가 될 사람과의 만남이 약속되어 있다. 첫 회사 방문인데 청바지를 입고 갈 수는 없을 것 같아서 수트를 입었다. 정말 오랜만이다. 편하게 비행을 하고 호텔에서 갈아입을까도 생각을 했지만 짧은 출장에 많은 짐을 만드는 것 같기도 하고 수트를 가지고 갈 수트가방도 찾지 못했다. 더위가 한풀 꺾여 그나마 입고다닐만 한 것 같다. 여기가 공항이라 시원해서 그럴 수도 있겠다. 막상 대만에 내리면 많이 더울 것 같기도 하다. 공항 라운지에서 멍하니 TV 에서 나오는 골프를 보고 있다. 그 주변에 앉은 다양한 국적의 사람들, 주변에서 영어로 한국어로 잡담하는 사람들, 간단한 식사를 즐기는 사람들이 앉아 있다. 이중에서 나처럼 사전 답사를 가는 사람이 있을까? 전에 프랑스로 나갈 때는 어떤 기분이었을까? 그땐 가족들과 떨어져서 나 혼자 출장을 갔었으니 이런 기분은 느껴볼 시간도 없었던가? 별의 별 생각을 다 한다.

비행시간은 두시간 십여 분 밖에 되지 않았다. 대한항공, 자국기였고 승무원들도 한국 사람이고 무엇보다 비행시간이 짧았기 때문에 힘들지는 않았다. 그렇게 대만에 첫 발을 내딛게 되었다. 타이페이 공항은 생각보다 컸고 사람도 많았다. 사람이 많다고 해도 여기선 어찌할 도리가 없다. 기다려야 한다. 물론 특권을 가진 사람들이 빨리 통과하는 게이트가 저쪽에 있지만 그걸 사용할 수 있는 사람은 정말로 극소수일 뿐이다. 언젠가 저 게이트를 통과할 수 있을 날이 올까? 하는 생각도 잠시 해 본다. 그렇게 긴 기다림 끝에 게이트를 빠져나왔다. 호텔에서 2 시에 만나기로 했는데 이미 이미그레이션에서 시간을 많이 뺏긴터라 조금은 늦을 수 있다고 라인 메시지를 남겼다. 그러고 보니 이제는 카카오톡은 한국사람들과 연락할 때만 사용을 하고, 여기 대만에서는 라인이라는 메신저를 써야 한다. 2 시에는 제인이 나를 데리러 호텔로 오기로 되어 있었던 것이다. 출국장을 나서니 내 이름이 써 있는 팻말을 들고 서 있는 기사가 있었다. 짧은 영어로 인사를 하고 잠시 후에 우리는 밴을 타고 공항에서 신주라는 도시로 이동을 했다. 새벽같이 일어나 이동을 한 터라서 나 뿐만 아니라 가족들이 잠깐씩 졸면서 40 분을 달려 호텔에 도착을 했다. 호텔로 가는 중간 중간 창밖으로 내다본 바깥 풍경은 중국과 비슷하다는 느낌이 들기도 했다. 도심지에 있는 아주 높은 고가도로가 그것이었다. 여기가 정말 내가 살 곳인가 싶다. 여러 나라를 다녔었기 때문에 별다른 이질감을 느끼진 않았다.

호텔에 도착해서 택시에서 내리는데 벨보이가 붙는다. 대만도 팁 문화가 있던가? 뭐 그런 생각이 잠시 스치면서 도와주겠다는 벨보이를 "땡큐 , 노 플라블럼"을 외치며 캐리어를 사수했다. 나중에 살며시 물어보니 대만에는 팁 문화가 없다고 했다. 하지만 1 달러짜리를 좀 바꿔두고 팁으로 써야겠다는 생각이 드는 것은 왜인지 몰랐다. 그렇게 호텔에 도착을 했고 제인의 친절한 안내를 받아 체크인을 마쳤다. 2 시가 조금 넘은 시간이었는데 공식 체크인 시간이 3 시라서 기다려야 한다고 했다. 그제서야 제인이 준 스케줄에 티타임이라고 안내를 했던 것이 기억이 났다. 아마도 체크인을 못하니 잠시 기다려야 한다는 의미였다보다. 그래서인지 제인은 우리를 위해서 버블티와 대만식 치킨인 치파이라는 것을 우리 가족을 위해서 준비했줬다. 하지만 난 로비에 앉아서 있기가 뭐해서 얼리체크인을 물어봤다. 비용을 조금 더 지불하더라도 그게 편할 것 같았기 때문이었다. 룸이 준비가 안되어 있다고 했다가 불과 10 여분이 되지 않아서 룸이 준비되었다고 해서 우리는 방으로 올라왔다. 잠시 티와 함께 이런 저런 얘기를 나누었고 드디어 회사를 방문하게 된다. 대만에서의 첫 일정은 가족들은 호텔에서 쉬게하고 나만 회사에 들어가 동료들을 만나 인사를 나누는 일정이 있었다.

불과 1.5 킬로미터 밖에 떨어져 있지 않은데 날씨가 덥다보니 택시를 타고 이동을 했다. 택시를 타고 조금 가다가 좌회전 신호를 받으려고 서 있는데 저기 회사 건물이 있다고 말해줘서 정말 가깝구나 하고 느끼게 되었다. 차를 가지고 다니기 쑥스러울 거리가 아닐까 싶다. 전세계에 4 만명의 직원이 있다고 했고 이곳 신주시에는 8 천명이 있다고 했다. 8 천명 중에는 공장의 생산 라인에서 하는 작업자들이 포함되어 있다고 했다. 생각보다 큰 위용을 보여주고 있었다. 회사 입구에서 방문자 아이디카드를 받았다. VIP 용 이라고 되어 있었다. 그리고 개발조직이 있다는

7 층으로 올라섰다. 별반 다르지 않은 구조, 남자들이 대부분인 엔지니어들이 보였다. 낯익은 제품들도 보였다. 그렇게 회의실로 안내를 받았고 잠시 기다리라고 했다. 넌지시 이렇게 생각했다. 내가 대만을 방문한다고 해서 회사에서 누군가를 만난다는 것은 나와 같이 일을 할 레벨이 아니라 윗 사람일 것이라고 생각을 했다. 그런데 아니었다. 한 사람은 분명 VP 라고 했으니 나보다 직급이 높은 사람이다. 그 분은 잠시 인사만 하고 나갔다. 남은 사람은 나와 같은 레벨의 개발 담당 책임자인 실장급과 팀장 한 사람 뿐이었다. 나를 인터뷰 한다기 보다는 나에게 회사와 제품에 대해서 이야기를 나누고 싶었던 것이 전부였다. 진행되는 프로젝트들은 모두 중국의 회사들이었고 북미와 유럽의 자동차 회사의 합자회사들이었다. 나중에 유럽이나 북미로 수출이 될 가능성이 있다고 얘기를 했지만 난 믿을 수 없었다. 자동차 회사들이 그렇게 호락호락하지도 않고 지역별로도 소싱을 하기 때문이다. 해야 할 일들이 많겠구나 싶었다. 더 실망스러웠던 부분은 내 전공인 소프트웨어 분야였다. 소프트웨어 팀장의 이름은 디노였는데 디노가 개발팀, 품질팀 투어를 잠시 하고나서 마지막에 질문을 던졌다. 소프트웨어 개발자의 수가 얼마나 될 것 같으냐는 것이었다. 중국 프로젝트를 하고 있고 최근 트렌드에 맞는 소프트웨어 플랫폼을 사용하고 있었기 때문에 최소한 120 명 이상은 되지 않을까 생각을 했고 기분 좋으라도 2~300 명은 되지 않겠느냐고 했더니 크게 웃었다. 채 50 명이 되지 않는 팀을 가지고 있었기 때문이었다. 꽤 할 일이 많을

것 같았다.

한시간 동안 프로젝트에 대한 소개와 조직에 대한 소개를 들었다. 같이 일을 하게 될 조직의 사람들을 만나서 이야기를 하고 내가 맡게될 소프트웨어쪽 일하는 곳을 잠시 돌아보고 인사를 하고 나왔다. 그리곤 제인과 회사 1 층에 있는 스타벅스에서 잠시 차를 마시면서 얘기를 나눴다. 회사에서 나에게 정말 많은 것을 기대하고 있다는 느낌을 지울 수 없었다. 더군다나 그렇게 느낄 수 밖에 없었던 이유는 이랬다. 개인적인 첫번째 목표 중의 하나가 중국어를 빨리 습득하는 것이라고 얘기를 했다. 한국에서는 대학마다 랭귀지 코스라고 외국인들이 한국어를 배우는 과정이 있는 것을 알고 있었다. 여기도 비슷할 것이라고 생각을 해서 회사 근처 대학에서 랭귀지 코스를 밟으면서 열심히 중국어를 배우려고 한다고 했다. 이곳 신주시에는 국립칭와대가 있다는 것을 알았기 때문이었다. 그런데 웬걸, 나를 위해서 특별 중국어 코스를 준비하고 있다고 했다. 외부의 강사가 아니라 회사 내에서 중국어 코스를 만들었다고 했다. 감동이긴 하지만 부담이 더컸다. 중국어를 배우지 않을 수 없겠구나 싶었다. 인사팀 직원이 착 붙어서 지원해 주는 것을 보니 정말 감동스럽긴 하면서도 잘해야되겠구나 하는 부담이 정말 컸다. 그렇게 한시간여 회사를 돌아볼 수 있었다. 회사 1 층에는 스타벅스도 있고, 편의점도 있었다. 모두 직원들을 위한 시설이었다. 휘트니스도 있다고 했다. 사무실 휘트니스를 다닐 것인지 외부 휘트니스를 다닐 것인지는 고민좀 해 봐야겠다. 그렇게 회사를 둘러보는 일정을 마치고 제인과 함께 호텔로 돌아왔다. 피곤이 밀려든다. 부담도 많이 된다.

내일은 아침 7 시 50 분부터 일정이 시작된다. 아이들이 다닐 학교 두 군에서 입학 시험 같은 것을 봐야 한다. 하루 종일 시험을 치르지 않을까 싶다. 그 사이 호짱과 나 그리고 제인은 같이 집을 보러 다닐 것이다. 인사과에서는 내가 있는 사흘 내내 나를 에스코트 해 줄 모양이다.

호텔방은 에어컨이 빵빵하게 잘 나온다. 아이들이 오랜 시간 시험을 봐야한다고 했다. 처음 시험을 볼 국제학교는 최대 5 시간을 봐야 한다고 한다. 그러니 간식을 준비하라는 것이 제인의 조언이 있었다. 그래서 호텔 앞 편의점을 찾았다. 산책겸 30 여 분을 돌아다녔다. 우리나라 보다 거리의 조명이 꽤 어두운 편에 속했고 무엇보다 덥고 습했다. 더위를 많이 타는 내가 이겨내야 할 첫번째 문제가 아닐까 싶다. 추석이 얼마 남지 않아서 한국은 아침 기온이 20 도 전후까지 내려갔는데 여기는 최저기온이 27 도다. 우리가 흔히 말하는 열대야다. 항상 에어컨과 같이 살아야 할 것 같다. 오토바이들도 상당히 많다. 물론 베트남 같지는 않지만 주로 오토바이로 출퇴근 하는 사람들이 대부분이 아닌가 싶을 정도다. 인도가 많이 없고 오토바이가 많은 것이 아이들의 안전에 크게 문제가 되지 않을까 꽤나 걱정스럽다.

ㅇㅇㅇ○○○ㅇㅇㅇ

주재원으로 파견을 나갔을 때에는 사전답사라는 공식 일정은 아쉽게도 없다. 회사마다 다를 수는 있겠지만 내 경우는 없었다. 오히려 일이 바빴기 때문에 답사가 아니라 현지에 장기 출장으로 머물고 있었다. 그래서 비록 공식적인 사전답사는 아니지만 주말에는 혼자서 내가 살 곳을 돌아볼 수 있었다. 가족들과 함께 보지는 못했지만 가족들에게 멀리서나마 정보를 공유해 줄 수 있었다. 내가 살게 될 곳의 추천지는 파리의 15, 16 구 또는 뇌이쉬르센이라는 곳이었다. 많지 않은 주재원들이 흩어져 살고 있는 곳을 추천해준 것이다. 15 구는 파리에서 제일 많은 한국 사람이 사는 지역이고 한식당, 한인 마트가 있는 곳이었다. 살게되면 거의 매주 찾게될 동네이고 15 구에 살면 모든 면에서 편리할 것이었다. 최신 주상복합 건물들도 있었다. 특히 한국분이 운영하는 미용실이 있어 반갑기도 했다. 해외에 살면서 머리를 자르는게 참 난감한 일 중의 하나다 보니 더욱 반가웠다. 에펠탑이 있는 곳이기도 하다. 출장 중이었기 때문에 주말에는 이곳의 호텔을 예약해서 머물기도 했는데 아침에 일어나 에펠탑까지 조깅을 하기도 했다. 파리에 살면서 스트레스를 받거나 심심할 때면 가장 많이 찾아갔던 곳이 바로 에펠탑이었다. 왜냐하면 거기에 가면 항상 기분 좋게 웃고 있는 사람들을 볼 수 있어 내 기분까지 좋아지는 곳이었기 때문이다. 그리고 바로 센느강과 붙어 있어 저녁에는 바토무슈라는 유람선을 바라보며 산책을 하기에도 좋았다. 가장 많은 한국 사람들이 사는 동네라 마땅한 집이 있다면 1 순위가 될 후보지였다.

두번째로 많은 사람들이 사는 곳은 뇌이쉬르센이었다. 살아보지 않은 사람이라면 어디인지 잘 모르는 동네일꺼다. 15 구는 파리의 남서쪽, 16 구는 서쪽에 지역으로 시 경계와 맞닿아 있는 지역이다. 16 구에서 서쪽으로 가면 블로뉴숲이라는 커다른 공원이 있고 그 공원위쪽 그러니까 파리의 북서쪽 지역에 있는 곳이 뉘이쉬르센이다. 우리 동료들이 사는 아파트들은 밖에서 보면 성 같이 보이기도 했다. 커다란 정원들도 있었기에 시끌벅적한 시내라기 보다는 조금은 여유로운 동네였다. 걷는 것을 좋아해서 다른 지역들은 많이 걸어다녔는데 여기는 차로 돌아봤던 기억이 난다.

마지막은 16 구인데 여기에 사는 분은 유일하게 법인장이 살고 계셨다. 파리의 강남이라고 했다. 젊은 사람들이 많이 놀고 즐기는 동네라는 뜻이 아니고 아파트 가격이 높고 부자들이 많이 살기 때문에 그렇게 부른다고 했다. 여기는 몇 번 걸어봤는데 모든 건물들이 오래되었기 때문에 흡사 옛날로 시간 여행을 하는 기분이 들기도 하는 그런 곳이었다.

이 시기에 파리의 물가를 체감한 아주 기억에 남는 사건이 있었다.

어느 주말 한식이 먹고 싶었다. 토요일이었는데 한식당을 가려면 파리까지 나가야 했으므로 참았다. 그러다가 일요일 냉면을 먹고자 파리로 향했다. 에펠탑을 보면서 어느 한국분이 운영하는 한식당으로 들어갔다. 물도 별도로 주문을 해야 했으니 에비앙 큰것과 냉면은 양을 많이 달라고 했다. 그렇게 먹고 싶었는데 맛이 신통치 않았다. 육수에 얼음이 떠 있을 정도로 차가운 물냉면을 원했는데 닝닝했다. 이게 뭐라고 그렇게 먹고 싶었나 했다. 그렇게 혼자서 먹고서 계산을 하는데 무려 38 유로라고 했다. 왜 이렇게 비싸냐고 했더니 곱배기를 달라고 해서 2 인분을 줬다고 했다. 당시 환율이 1400 원대 였으니 5 만원이 넘는 냉면이었다.

사전답사 이틀째

한시간 시차가 가장 극복하기 어려운 시차라고 했던가? 어제의 융숭한 대접과 긴장, 공항으로 이동도 해야 했기에 이른 기상이 겹쳐서 모두 일찍 잠이 들었다. 일찍 잠이 들었던 만큼 일찍 잠이 깼다. 로밍을 한 핸드폰에서 잠시 시계를 잘못 보고 새벽 네시부터 깨어있었다. 오늘의 주요 일정은 아이들이 국제학교에가서 보게 될 시험이다. 7 시 50 분에 호텔 로비에서 제인을 만나기로 했다. 5 시 30 분에 호짱이 일어났고 6 시가 조금 넘자 아이들을 깨우기 시작했다 시험보러 가는 놈들이 배라도 든든해야하지 않겠나? 호텔 조식은 꽤나 괜찮은 음식으로 채워져 있었다. 하지만 시험을 봐야하는 관계이기도 해서 가능하면 나 부터도 익숙한 음식으로 간단하게 식사를 했다. 7 시 50 분이 채 되지 않아서 우리는 제인을 만났다. 이번에는 에바라는 친구도 같이 왔고 여러명이 탈 수 있는 밴과 함께 였다. 우리 가족을 위해서 인사팀의 두 친구가 이른 아침 호텔까지 와 준 것이다. 생각보다 신주 시내의 아침 풍경은 엄청난 교통체증과 함께하고 있었다. 학교까지는 구글맵으로 확인하니 그리 먼 거리가 아니었는데 도로가 막히는 것을 보니 과연 시간 내에 도착할 수 있을까 하는 생각이 들기도 했다. 하지만 여기 사정을 잘 아는 친구들일테니 큰 걱정을 하지는 않았다. 8 시 30 분 부터 시험을 보기로 했다고 했다. 아이들은 조금 긴장된 것처럼 보였다. 긴장하지 말라고 웃으면서 얘기를 해줬는데 과연 도움이 되었는지는 모르겠다.

잠시 머뭇거리던 차는 좁은 골목을 돌아서 재빠르게 학교로 이동을 했다. 그래서 다행히도 예정된 시험 시간 보다 조금 앞서 학교에 도착할 수 있었다.

작은 회의실 같은 곳에서 제리와 하늘이가 시험을 보게 되어 있었다. 두 대의 노트북이 세팅되어 있었고 비엔이라는 선생님이 설명을 해 주시기 시작했다. 잠시 동안 시험에 대한 설명을 받고 이내 시험은 시작되었고 비엔 선생님이 호짱과 나에게 학교 투어를 해 주셨다. 이곳 타이완 선생님이며 직접 학생을 가르치지는 않는 듯 했다. 한국어도 곧잘 해서 영어와 한국어를 섞어가며 설명을 해주셨다. 학교의 학생은 260 여명 밖에 안되었고 그 중에서 초등학교 학생은 얼마 안된다고 했다. 대부분이 중고등 학생이란 얘기다. 학교에는 아주 다양한 활동들이 있었다. 방송, 과학, 음악 등에서는 내가 상상했던 것 보다 수준있는 교육이 이루어지는 듯 했다. 아이들 작품이 꽤나 근사해 보였고 조형물에는 3D 프린터까지 활용을 하고 있었다. 작품 중에는 리사이클링을 활용한 작품들도 눈에 띄였다. 로봇 교실도 중학생 1 개방, 고등학생 2 개 반이 편성이 되어 있었다. 하늘이 보다는 제리가 더 좋아할 듯 싶었다. 시험을 시작한 것이 오전 9 시가 되기 전이었는데 시험은 오후 1 시에서 2 시 사이에 종료된다고 했다. 생각보다 긴 테스트 시간이다. 겨우 영어와 수학 두 과목에 대한 시험인데 시간이 꽤나 오래 걸린다는 것이 조금은 이상하긴 했다. 그렇게 아이들을 시험보게 하고 호짱과 나는 학교 투어를 마쳤다. 시험을 보는 아이들에게 열심히 하라는 눈짓을 보낸 후에 집을 보러 나섰다.

오늘은 한 두채 정도를 보고 나머지는 마지막 날인 내일 보기로 했다. 회사에서 지원해 준 차를 타고 신주시 시내로 향했다. 출퇴근 시간보다는 차가 많이 줄어 있었다. 아이들 시험 때문에 일찍 나온터라 집을 보기엔 좀 이른 시간이었다. 약속 장소에 너무 일찍 도착한 탓에 카페에 들러 커피를 마시면서 잠시 시간을 보냈다. 우라와 함께하는 친구들이 고마워 커피는 내가 대접하겠다고 했으나 모든게 회사에서 준비했으니 신경쓰지 말라고 했다.

아파트는 새롭게 지어진 것은 아니지만 리모델링을 하고나서 처음 임대가 되는 것이라고 했다. 새 아파트 냄새가 우리를 반겼다. 밖으로는 도시가 한눈에 내려다 보여 좋았다. 시내의 중심이라서 여러가지 시설들이 눈에 들어와서 좋았다. 두 채의 아파트를 봤는데 방이 2 개 짜리와 3 개 짜리였다. 아이들 둘과 함께 해야 하기 때문에 최소한 3 개의 방이 필요했다. 깨끗하고 좋기는 했으나 좁았다. 물어보니 26 스퀘어미터라고 했다. 말이 안되는 크기였다. 한참을 얘기하다보니 우리과 같은 평이라는 단위를 쓰는 것 같았다. 그러면 이해가 되었다. 26 평이라는 얘기인데 방 2 개 짜리와 3 개짜리가 있으니 방이 좁기는 좁았다. 한참 얘기를 했는데 우리의 기대치는 지금 살고 있는 집과 비슷했으면 한다고 했다. 45 평 정도 되는 크기의 집이고 방이 4 개인데 큰 아이는 한국에 남을 것이기 때문에 조금 작아도 되지만 방은 최소한 3 개는 필요하다고 말이다.

다음 집을 보기 위해서 차를 타고 조금 더 이동을 했다. 지리를 잘 모르니 구글맵을 켜고 어디로 이동을 하는지를 봤다. 시내에서 외각 쪽으로 이동을 하고 있었다. 데카트롱이라는 스포츠 매장과 코스트코가 멀지 않은 곳에 있는 약간은 시의 외곽 이었다. 방이 네 개짜리 아파트라고 했다. 제인이 보내 줬었던 리스트에는 총 3 개의 아파트가 있었는데 벌써 두 채를 보고 세번째로 온 것이다. 앞서 본 두 채의 아파트들도 보내준 파일에서 보면 47 평으로 되어 있었던 터라 조금은 걱정이 되었다. 세번째는 50 평이 넘는 크기라고 했고 방이 4 개라고 표기되어 있었던 것이 기억이 났다. 앞서 봤던 두 채가 보내준 정보와 달리 작았기 때문에 걱정스러웠다. 하지만 세번째는 다행히도 크기가 대충 맞아 보였다. 조금 오래돼 보이고 아쉬운 부분이 있긴 했지만 다른 선택지가 없는 것 같았다. 다른 곳을 찾아봐 달라고 했다. 하지만 그 결과는 별로였다. 월세가 20% 이상 올라가는 집 밖에 없다고 했다. 회사에서 지원을 해 주더라도 학비에 개인 비용이 추가로 들어가는 터라 집에는 추가 비용을 쓰기는 싫었다. 이렇게 볼 집이 없나 싶었다. 아쉬운대로 세 채 중에서 골라야하는데 지금 보는 집이 제일 나은 듯 싶다. 아니 다른 선택지가 없었다. 호짱은 아쉽긴 하지만 이정도면 됐다고 했다. 0 안방과 건너방에는 킹사이즈 침대가 있었는데 우리 것으로 바꿔야 하니 치워달라고 했다. 소파도 있었는데 조금 생각해 봐야 했다. 한국에서 사용하던 것을 짐에 실을 수 있다면 가져오는게 좋겠다 싶었다. 나보다는 호짱이 이런 저런 생각이 많아 보였다. 집 실내로 들어오면 한국처럼 신발을 벗어 놓을 수 있는 공간 없이 바로 거실인 것도 마음에 걸리는 것 같았고, 화장실이 습식처럼 쓸 수는 있지만 습기에 약한 것들이 있어서 건식으로 사용해 달라는 요청도 걱정스러운 듯 했다. 3 층이었기 때문에 항상 커튼을 치고 생활해야 할 것 같았고, 커튼도 새로 달고 싶어했다. 바닥은 마루라서 좋기는 한데 거실 바닥은 밝아서 좋았지만 방은 검은색에 가까운 갈색이라 아쉬웠다. 여러가지로 복잡한 마음이었다. 큰 선택지가 없어서 이곳에서 최소한 1 년은 살아야 한다. 기본 계약 기간이 1 년이기 때문이다. 1 년 후에 좋은 집이 나타나면 이사를 고려해 봐야겠다. 대만은 생각보다 인건비가 비싸지 않은 것으로 알고 있기 때문에 이사하는데 비용적인 문제는 없을 것 같았다. 집이 정해졌으니 내일 제리와 하늘이를 데리고 와서 다시 집을 보기로 하고 우리는 다시 학교로 간다.

학교로 가기 전에 유명하다는 식당에서 식사를 하자고 했고, 아이들이 점심도 먹지 못하고 시험을 보고 있어서 햄버거를 사겠다고 했다. 모두 제인의 배려였다. 하지만 아이들 걱정에 먹는 것도 대충하고 학교로 간다. 학교에 도착한 시간은 1 시가 조금 안된 시간이었다. 도착을 해서 담당 선생님께 라인으로 메시지를 보내서 우리가 도착했음을 알렸다. 아직도 한시간은 최소한 기다려야 한다고 했다. 영어 수학 두 과목을 8 개의 섹션으로 나눠서 시험을 본다고 하는데 길어도 너무나 긴 시간이다. 8 시 30 분에 시작을 해서 4 시간이 지났는데 아직도 한시간을 더 기다려야 한다고 했다. 차에서 하염없이 기다리면서 졸다 깨다를 반복했다. 드디어 한시가 조금 지나서 시험이 끝났다는 연락을 받았다. 시험 결과도 라인 메신저로 받았는데 기준 점수가 없다보니 잘한 것인지 알 수는 없었다. 잠시후에 교장과의 면담이 시작되었다.

제리는 사샤라는 영어 닉네임을 쓰기로 했는데 칭찬 일색이다. 학교는 프로젝트 중심으로 교과목이 지정이 되는데 사샤는 영어가 모국어가 아니라 어휘는 좀 딸리지만 모든 면에서 탑클래스에 든다고 칭찬을 했다. 프로젝트 베이스로 이루어지는 커리큘럼을 하기 때문에 처음에는 부족한 보케블러리 때문에 힘들 수는 있지만 금새 따라잡을 수 있을 것이라고 했다. 시험을 망쳤다고 슬쩍 얘기했던 제리의 표정이 밝아졌다. 아이들은 학교를 둘러볼 시간이 없었기 때문에 '윤기샘'에게 아이들의 학교 투어를 부탁했다. 윤기샘의 원래 이름은 비엔이다. 한국어를 잘하다보니 누군가가 지어준 별명이 윤기샘이라고 했다. 다음은 하늘이, 하늘이는 많이 부족하다고 했다. 한국과 같은 중학교 2 학년에 해당하는 8 학년에 보내고 싶었으나 7 학년이 적당하다고 했다. 교장이 한 학년 낮춰가는 것도 괜찮다고 일장 연설을 한다. 물론 학년이 중요한 것은 아니다. 그러나 내 계획은 3 년 후에 한국에 돌아가서 민준을 재외국민특례입학으로 대학에 보내는 것이었기 때문에 8 학년을 유지하고 싶었다. 이런 저런 얘기를 하다가 이 얘기까지 나왔지만 교장의 얘기는 단호했다. 원한다면 8 학년에 넣어줄 수는 있지만 아이가 버티기 힘들 수 있다고 했다. 해외 나오는 것의 목적 중에 하나가 하늘이를 대학보내는 것이었기 때문에 이런 저런 고민이 많을 수 밖에 없었다. 교장은 너무 수다스러웠고 대충 말을 끊고 고맙다고 하고 길을 나섰다. 그래도 한시간 이상은 서로 이런저런 얘기를 나눈 듯 싶다. 학교는 마음에 들었다. 하늘이가 한 학년을 낮추는 것만 빼고 말이다.

다음 학교로 갈까? 아니면 그냥 이 학교로 정할까 잠시 고민하다가 이미 정해진 일정이고 오후에 크게 할 일도 없었기 때문에 시험을 한 번 더 보기로 했다. Hsinchu American School, HAS 다. 학교는 중화대학이라는 대학 캠퍼스에 위치하고 있었다. 대학 캠퍼스 내에 있는 학교라고 하니 뭔가 있어보이긴 했다. 제인이 이미 연락을 해 둬서 입학담당 소냐 쌤이 우리를 기다리고 있었다. 아이들은 바로 시험을 보러 내려 보냈다. 한 시간 시험이라고 하니 큰 부담이 없었다. 5 시간에 걸친 시험을 보고 나서 그랬다. 그리고 시험을 본 다음에는 교장선생님과의 면담 후에 부모 면담이 이어진다고 했다. 소냐샘이 학교에 대해서 설명을 해 주고 투어까지 해 주었다. 학생은 117 명이라고 한다. 정원이 250 명까지라고 하는데 학생들 숫자는 그만큼까지 되지는 않았다. 얼마전에 이곳으로 옮겨왔다고 했다. 그래서인지 학교의 집기도 그렇고 모든 것이 깔끔했다. 선생님들이 본인의 교실을 가지고 있고 학생들이 옮겨서 수업을 받는 시스템이었다. 분위기는 밝았고, 각 교실은 복도 쪽으로 창이 나 있었다. 투어를 하느라고 각 교실을 지나갈 수 밖에 없었다. 학생들도 그렇고 특히 선생님들이 웃으면서 손을 흔들어줬다. 분위기가 사뭇 달랐다. 같은 American School 인데 이렇게 다를 수가 있나 싶었다.

노란색과 초록색이 어우러진 밝은 분위기가 좋았다. 이전 학교가 프로젝트 기반의 수업이라 좋을 것 같다는 생각을 했던 마음이 바뀌었다. 정규 수업을 따라가는 것이 좋을 수도 있겠다고 말이다. 일장 일단이 있기는 한데 우선 분위기가 칙칙한 것과 밝은 것은 차이가 너무 극명했다. 길지 않은 기다림이 끝나고 면담을 하는데 아쉽게도 이전에 시험을 본 학교와 다른 결론이 나오지는 않았다. 역시나 제리는 충분히 공부할 수준이 되었고, 하늘이는 한 학년 낮춰야 한다고 했다. 이전에 갔었던 학교에서 처럼 길고 긴 얘기를 했다. 간신히 얻어낸 결론은 일주일 정도 8 학년 수업을 받아보자고 제리가 8 학년을 다닐 수 있을지 7 학년으로 낮춰야 할지 선생님들의 의견을 들어보자고만 제안을 받았다. 결국 3 년이 아니라 4 년을 여기서 보내야 하게 생긴 것이다.

기나긴 하루, 아이들은 더 없이 힘들었을 것이다. 바로 호텔로 가서 뻗고 싶었다. 정말 그랬다. 하지만 회사에서는 저녁을 같이 하도록 준비가 되어 있었다. 어느 백화점 지하에 딘타이펑이라는 딤섬 전문점으로 안내가 되었고 제인의 안내에 따라서 저녁을 즐겼다. 식사 중에 잠깐씩 집에 대해서 이야기를 했는데 제인이 나이가 어리다보니 이것 저것 미숙한게 많이 보였다. 내일은 집 계약을 한다고 했는데 나중에 보니 실제 계약이 아니라 가계약이었고 실제 계약은 내가 타이완에 실제로 도착할 때 한다고 했다. 월세 두달치에 해당하는 보증금도 그때 주면 되고 내일은 한달치 임대료를 주면서 가계약이 가능하다고 했다. 미처 현금을 준비하지 못해서 현금인출을 해야했다. 4 만 5 천 타이완 달러니까 대략 2 백만원 정도 되는 돈이다. 내가 사용하는 카드들은 모두 해외 사용을 막아놔서 인출이 안되었다. 내가 사용하는 카드들이란게 대부분이 할부나 핸드폰 할이 카드들이라서 해외 사용을 막아 놨던 것 같다. 그래서 현금서비스 조차 되지 않는 모양이었다. 지갑을 뒤지다보니 얼마 전에 사용기간 만료로 재발급된 카드가 있었다. 신혼 초기부터 사용하던 카드로 출장을 다닐 때, 개인 용도로 썼던 카드였다. 다행히 그 카드는 현금서비스가 되었다. 어떻게 저녁을 먹었는지도 모르게 시간이 지나갔다. 호텔에 도착해서 씻지도 않고 잠시 침대에 누웠다가 바로 잠이 들어 자정이 되어서야 일어났다. 간단하게 씻고 다시 취침, 크게 힘들지 않은 활동이라 생각했는데 몸이 따라주질 않았다. 나 뿐만 아니라 가족들 모두 그랬다. 눈에 들어오는 정보들이 모두 생소하기 때문에 그런 것인지 알게 모르게 긴장을 해서인지 아뭏든 피곤했다.

OOOoooOOO

해외 생활에서 나에게 가장 중요한 것은 아이들의 학교였다. 프랑스에서 아이들이 다녔었던 학교는 American School of Paris 로

ASP 로 불렀다. 이름에서 보듯이 미국식 학교였고 그 외에 영국식 학교가 있었다. 그런데 선택의 여지가 없이 ASP 를 택해야 했던 이유는 ASP 만 유치원부터 고등학교까지 모두 있었기 때문이다. 다른 학교는 고등학교가 없어서 모두 같은 학교를 보내기를 원했던 나에게는 ASP 외에는 선택의 여지가 없었던 것이다.

프랑스에서는 이래 저래 나 혼자 한달여 난민 생활을 즐기다가 반가운 가족들이 날아왔다. 토요일에 도착을 해서 간단하게 짐을 풀고 여독이 채 풀리지도 않은 월요일 아이들은 학교로 등교를 하게 되었다. 나는 기억을 하지 못하는데 호짱에 의하면 장군이는 시험을 봤다고 했다. 직접 프랑스에 가서 시험을 보지 않았기 때문에 내가 기억을 하지 못하고 있었나보다. 학교에서 어찌 알았는지 한국 영어 학원에서 시험을 볼 수 있도록 해 줬다고 했다. 물론 큰 놈이 당시에 중학교 1 학년이었으니 그럴만도 하다. 영어 실력이 있어야 수업을 들을테니 말이다. 하늘이는 그래도 첫째라고 열심히 호짱이 데리고 다녀서 영어는 곧잘 했는지 제학년을 찾아서 들어간다고 했다. 둘째 제리는 9 살 터울로 유치원에 들어가는 나이다. 이 놈은 그야말로 외국인과 놀아본 경험 조차 없는 놈이었다. 막내는 아직 유치원을 들어갈 나이도 되지 않았을 무렵이었다. 그리고 유치원 입학을 위해서는 별도의 영어 시험이 필요하지 않았다. 당연하게도.......

첫 등교 날, 두 놈을 데리고 학교로 갔다. 처음 가보는 학교, 나도 아이들도 많이 낯설었다. 이메일로만 대화를 하던 브랜다라는 입학담당 교감 쯤 되는 사람과 잠깐 만나서 얘기를 하고 먼저 큰 놈을 데리고 교실로 갔다. 쭈뼛쭈뼛 교실로 들어가는데 꼭 도살장에 끌려 들어가는 뭐 같았다. 둘째는 더 심했다. 유치원이라 밖에서도 교실 안이 들여다 보였는데 멈칫거리길래 등을 떠밀어 들여보냈는데 창밖에서 보니 아이 얼굴이 백짓장이 되었다. 애들을 이렇게 두고 가도 될까하는 걱정을 안 할 수가 없었다. 괜찮을꺼라는 선생의 말은 귀에 들리지도 않았다.

그렇게 두 놈을 학교로 들이밀고 호짱은 집에 바래다주고 난 사무실로 출근을 했다. 일이 손에 잡히지 않았다. 하얗게 질린 애들의 모습이 자꾸 떠올랐기 때문이다. 어찌 잘 버티고 있을지, 울고 있지는 않을지 걱정이 꼬리에 꼬리를 물었다. 일이 손에 잡힐리가 없었다. 정말 지루하고 지리한 시간이었다. 다행히 학교에서 전화가 오지 않는 것을 보면 아이들이 버티고 있는가보다 했다. 학교는 스쿨버스로 하기로 되어 있었는데 버스는 잘 탔는지 제대로 내리긴 했는지 별의 별 걱정을 다하고 있었다. 퇴근 시간이 되자마자 난 짐을 싸들고 부리나케 집으로 향했다. 다행히 출장자가 없었는지 난 바로 퇴근을 했던 것으로 기억이 된다. 걱정스런 마음으로 현관문을 열고 들어가는데 아이들이 웃고 있다. 재미있었다고 했다. 기억엔 방방 뛰었던 것 같다. 어째서 그럴까? 말도 잘 못하는데 말이다. 그래도 아이들은 통하는게 있는가보다. 잘 어울려 놀았던 듯 싶다. 4 년 내내 그런 것은 아니지만 어찌되었던 잘 적응을 하기 시작했다는 것은 기분 좋은 신호였다.

이런 저런 우여곡절이 많았지만 첫날의 기억 때문인지 학교에 대한 내 기억은 좋기만 하다.

가끔은 쉬어 가는 페이지를 만나고 싶다.

아무 생각없이 잠시 쉴 수 있는 곳 말이다.

셋째날

집 계약만 하면 별다른 스케줄이 없는 하루다. 나 뿐만 아니라 모두 피곤했기 때문에 제인에게 11 시에 만나서 집을 보러가자고 했다. 한 채 더 보여주마 했지만 추가 부담금이 커서 안 보겠다고 했고 어제 마지막으로 본 55 평짜리 집을 아이들과 함께 가기로 했다. 다른 선택지가 없고 그리 나쁘지 않았기 때문에 그냥 선택을 하는 편이 낫겠다고 생각했다. 피곤해서 일찍 잠이 든 까닭인지, 잠자리가 바뀌어서인지 모두 일찍 잠에서 깨어났다. 어제는 시험을 보는 일정이 있어 7 시 50 분에 시험장소로 출발하기로 되어 있었지만 오늘은 그럴 필요도 없었는데 아침식사를 하러 8 시가 채 되지 않아서 내려갔다. 조금은 몸과 마음이 편안했다. 시험도 끝이 났고, 집도 다 봐놨고 회사도 다녀왔기 때문이다. 그래서 그런지 가족들의 접시에는 어제는 먹지 않았던 로컬 음식도 담겨있었다. 같이 셀피도 찍었다. 이제 조금은 긴장이 풀린 모습들이었으나 여전히 얼굴에는 피곤이 남아 있었다. 식사를 하고 나서 필요한 물건이 있다고 호짱과 제리가 산책을 나갔다가 커피도 사가지고 왔다. 생각보다 시간이 많이 남아서 이런 저런 얘기를 하면서 시간을 때우고 있었다. 아직도 실감이라는게 나질 않는다고 했다. 언제쯤 우리가 여기서 산다는 것이 실감을 하게 될까?

만나기로 한 시간이 채 되지 않아서 체크아웃을 하러 내려갔다. 체크아웃을 하고 짐을 맡겼다. 집을 보고 쇼핑몰 투어를 한 다음에 다시 호텔에 들러 짐을 가지고 공항으로 간다고 했다. 같은 차량으로 움직이는 것이 아니니 짐을 호텔에 맡기는 편이 편할 거라고 제인이 조언해 줬다. 짐을 맡기고 우리가 살게 될 집으로 간다. 신주시에서 코스트코가 있는 동네로 간다. 호텔에서 차로 10 분이 채 안걸릴 거리인데 20 분은 족히 걸렸다. 토요일이고 코스트코로 가는 차량 행렬 때문에 교통체증에 걸려 시간을 뺐겼기 때문이다. 어제 열심히 집을 본다고 봤는데 새로운 것들이 많이 보인다. 우선 3 층이었는데 엘리베이터를 타고보니 1 층 다음이 3 층이다. 로비가 높아서 1 층 다음에 바로 3 층이었다. 거주하는 기준으로는 제일 아래층이니 마음대로 뛰어 놀아도 될 것 같았다. 어차피 계약은 하기로 했고 아이들은 누가 어느 방을 사용할 것인지를 정하고 있었다. 이미 들어 있는 가구 중에서 어떤 가구들을 뺄 것인지를 정했다. 소파가 있었는데 우리는 우리 소파를 사용하고 싶다고 빼 달라고 했다. 네 개의 방 중에서 두 개의 방에 킹사이즈 침대가 있었는데 역시나 모두 빼 달라고 했다. 새것도 아닌 듯 보이기도 했고 모두 자기 침대를 가지고가서 쓰기를 원했다. 식탁도 가지고 가기로 해서 빼 달라고 했다. TV 장도 빼 달라고 했다. 우리는 TV 가 없으니 필요가 없다. 제리와 하늘이는 자기 방의 면적을 재고 있다. 지금 사는 방보다 조금 크기도 했고 어떻게 가구를 배치할지 고민스러운 듯 했다. 호짱은 커튼이 마음에 안든다고 새로 달겠다고 했다. 그리고 살다가 나올 때, 원상복구를 하고 나오기로 했다. 역시나 집을 꾸미는 것은 호짱 마음이다. 알아서 하라고 했다. 난방은 방마다 있는 에어컨이 온풍기 역할도 한다고 했다. 아쉽지만 바닥 난방은 없다고 했다. 더운 나라이니 바닥 난방까지 필요가 없었을 것이다.

사전에 조사한 정보에 따르면 여기 대만에서는 수돗물을 먹으면 안된다고 해서 정수기를 달아달라고 부탁을 했다. 집주인이 안해 준다면 내가 달면 될 일이었다. 집주인들은 일반적으로 싱크대에 구멍을 뚫는 것을 싫어한다고 확인해 보겠다고 한다. 비데도 없다. 우리 가족은 꼭 필요하다. 그래서 집주인에게 확인해 달라고 했다. 잘 받아 적는다. 이렇게 조건들을 하나하나 적었다. 이사 날짜는 10 월 28 일, 지금으로 부터 한달 하고 일주일 이후다. 먼저 한달치 임대료를 줬다. 임시 계약에 필요한 금액이다. 계약서는 모두 한문이고 날짜를 쓰는데 112 년 9 월이고 적는다. 대만건국일을 기준으로 년도를 쓴다고 했다. 에이전트가 설명을 하고 제인이 확인을 해 줬다. 그렇게 계약서를 썼다. 인터넷은 내 이름으로 설치를 할 수 없기 때문에 에이전트 이름으로 설치를 하기로 했다. 모든 것은 거류증이라는게 나와야 내 명으로 뭔가 할 수 있다고 했다. 10 월 28 일에는 오늘 얘기된 내용들을 모두 확인을 하고, 두 달치 보증금을 줘야 한다. 그리고 한달치 월세의 50%에 해당하는 에이전트 비용도 줘야 한다. 그러면 이 집은 1 년 동안 내가 살게 된다. 열쇠도 받아야 하고 비밀번호도 바꿔야 한다. 주재원으로 나갔을 때는 거의 모든 비용이 회사 부담이었고 나는 관리비와 전기, 수도 요금 정도만 내면 그만이었는데 여기서는 추가되는 모든 비용을 내가 부담해야 한다. 하나씩 내가 해야할 일들이 생길때마다 부담감이 느껴진다. 어제는 보지 못했는데 탁구장도 있다는 얘기를 들었고, 택배를 어떻게 하면 받을 수 있는지 음식배달은 어떻게 받는지도 배웠다. 택배는 현관에서 받아주고 어플리케이션을 받아서 설치하면 어플리케이션을 통해서 알려준다고 했다. 한국 우리의 아파트들과는 다른게 꽤나 많다. 주상복합과 같은 시스템이 아닐까 짐작해 본다. 배달 음식은 커다란 테이블이 하나 있는고 거기에 동과 호수를 쓰고 음식을 두고 가면 우리가 찾으러 내려가야 하는 시스템이다. 주민과 외부인과는 철저하게 분리가 되어 있어서 좋았다. 아이들에게는 여름기간에만 연다는 수영장과 휘트니스 센터를 보여주고 끝이 났다. 꼼꼼하게 챙겼다고 생각했는데도 나중에 생각해 보니 빼 먹은 것들이 있었다. 어떻게 지하주차장의 문을 열고 진입을 하는지를 파악하지 못했다. 지하 주차장에는 두 대의 지정된 자리에 주차를 할 수 있었고 하나의 라커를 사용할 수 있는데 말이다. 라인으로 에이전트와 연결을 해 뒀으니 조만간 물어봐야겠다.

점심을 거하게 먹었는데 긴장이 풀려서 그랬는지 어느 식당인지 기억이 나지도 않는다. 먹기도 많이 먹었고 맛있게 먹었는데 말이다. 정신이 없긴 없었나보다. 다음에 향한 곳은 쇼핑센터다. 왜 이런 일정을 넣었을까 생각해 보니 비행기 출발 시간까지 일정이 비어 있었기 때문이다. 다른 일이 생길지 몰라서 빠른 비행기로 예약을 하기는 그렇고 혹시 몰라 저녁으로 비행기는 예약해 놨었다. 그런데 모든 일정이 끝났으니 시간을 때우기 듯 싶었다. 우리에겐 물가를 알아보는데 도움이 되기는 했다. 생각보다 한국 제품이 많지는 않았지만 식료품점에서는 한글을 꽤 볼 수 있었다. 그리고 전자제품 중에서는 LG 와 삼성 제품을 볼 수 있었는데 다른 제품들에 비해서 고가였다. 필요하면 사긴 해야겠지만 생각보다 고가로 팔리고 있어서 조금 놀랐다. 그런데 크게 살 것도 없는터라 대충 보는둥마는둥 하고 우리는 바로 공항으로 이동을 하겠노라고 했다. 제인이 토요일에 나와서 우리를 신경쓰는 것도 부담스럽긴 했다. 그런데 웬걸, 제인은 사무실로 들어가야 된다고 한다. 직원들 급여 계산을 해야 한다고 한다. 여기, 아니 이젠 우리 회사가 맞을려나? 회사는 1 일부터 말일까지 일한 급여를 23 일에 계산을 시작해서 매월 5 일에 지급한다고 한다. 내 경우에는 10 월 30 일에 일을 시작하게 되면 11 월 23 일에 급여 계산을 해서 11 월 급여와 10 월 30 일, 31 일의 급여를 12 월 5 일에 받게 되는 것이다. 회사로 들어가야 하다는 제인과 인사를 나누고 우린 공항으로 갔다. 인천공항에서는 티케팅하는데 한참 걸리고, 이미그레이션도 엄청 시간이 걸렸는데 타이페이 공항에서는 불과 5 분만에 끝내고 게이트로 향했다. 너무 일찍 도착한 탓에 어디서 좀 쉴까 하는 걱정을 했다. 안타깝게 대한항공 마일리지를 써서도 라운지 사용이 불가하다고 했기 때문이다. 하염없이 게이트를 향했다. 중간에 레스토랑이 보여서 자리를 잡을까 했지만 모두 먹고 싶지 않다고 했다. 그렇게 한참이나 걸어서 게이트 주변에 도달하니 내 눈에 반쯤

누울 수 있는 의자가 보였다. 아쉽게 3 개 밖에 없었지만 우리는 거기서 편안하게 누워 있을 수 있었다. 두 시간이 조금 더 남아 있었기 때문에 우리는 아주 편안하게 앉아서 시간을 보낼 수 있었던 것이다. 운이 좋았다.

집에 도착했을 때는 자정이 넘어 일요일이었다. 2 박 3 일 짧은 일정 이였지만 가족들 모두 새로운 곳에서 새로운 것들만 보고 느끼고 행동을 해서 그런지 피곤에 절어 있었다. 일요일은 어떻게 시간이 가는지도 모르겠다. 다만, 제리와 하늘이가 다닐 학교에 대한 토론이 장군이와 함께 한동안 고민을 했다. 최종적으로는 HAS 라는 학교를 선택을 했다. 이유는 밝은 환경, 밝은 선생님들 그리고 밝은 친구들 때문이었고 거기에 정통 미국식 학교라는 것이 한 몫을 했다. 물론 또 다른 학교도 좋기는 했지만 이제 막 미국식 학교에서 공부하는 제리와 하늘이에겐 많이 버거울 수 있다는 점이 한 몫을 했다.

OOOoooOOO

한국에서도 아파트 프랑스에서도 아파트에 살았다. 처음 아파트에 대한 기대는 우리와 별반 다를까 하는 이런 물음에서 출발을 했다. 하지만 처음 방문을 했던 아파트는 내 기대와는 사뭇 달랐다. 고풍스러운 외관들 때문에 사실 이게 아파트인가 싶었기 때문이다.

겉에서 보기엔 정말 옛 건축양식에서 한치도 벗어남이 없는 최소 백년은 넘어보이는 건물들이 아파트라고 했기 때문이다. 내가 주로 돌아본 곳들의 특성도 한 몫 했을 것 같은데 주로 15 구와 16 구이다. 파리의 시내 중심은 노틀담성당이 있는 시테섬이다. 파리는 20 개의 구로 이루어져있는데 시테섬이 1 구이고 시계방향으로 돌면서 20 구까지 이어진다. 그 중에서 15 구는 에펠탑이 있는 곳이고 내가 살던 곳은 그 다음의 16 구였다. 오래된 건물들이 많은 동네다.

처음 방문했던 아파트에서 볼 집은 5 층이었던 것 같고 특이하게 복층이라고 했다. 역시나 고풍스러운 외관이다. 신 대리님과 부동산을 기다리며 살펴보니 아파트의 건축연도가 1700 년대다. 정말 1700 년대에 지어진 아파트 그러니까 300 년이 된 아파트에 살게되는 것인지 웃으면서 물어봤다. 처음엔 그렇다고 신대리님이 말을 해 줬다. 그러고 나서 웃으면서 해 준 얘기는 이랬다. 파리에서는 고 건축물의 경우에 재건축은 안된다고 했다. 리모델링만 가능한데 거기도 단서가 있는데 외관을 기존의 건축물 그대로 유지를 해야한다는 것이다. 그러니까 건물 내부는 마음대로 리모델링을 하지만 외부는 안된다는 것이다. 그러니 외부는 300 년이나 되어 고풍스러워 보일 수 밖에 없지만 그 내부는 다를 수 있다고 했다. 이 아파트도 내부 리모델링이 되어 있다고 했다. 리모델링이 되어있다고 하니 다행이었다. 부동산을 만나서 안으로 들어섰다. 리모델링이 되어 있어서 그런지 엘리베이터가 있다.

그런데 이 엘리베이터를 타기 시작하면서 내 희망은 점점 불길함으로 이어졌다. 왜냐하면 엘리베이터에는 부동산의 마담과 신 대리님, 참고로 여성이다. 그리고 내가 탔는데 간신히 끼어 탈 수 밖에 없는 크기였기 때문이다. 두 사람만 타라고 만들어 놓은 엘리베이터라는 듯이 말이다. 나중에 안 사실이지만 영화에서 보던 회전식 계단의 가운뎃 공간에 엘리베이터를 만들다보니 공간이 협소할 수 밖에 없었다고 한다. 방이 3 개는 최소한 되어야하고 4 개면 더욱 좋겠다는 조건으로 찾은 집인데 여긴 방이 4 개라고 했다. 특이한건 프랑스에서는 거실도 방으로 본다는 것이다. 그러니 우리네 기준으로 30 평형대 방 세개라면 여기서는 방 네 개라고 얘기해야하는 것이다. 복층인데 계단은 한사람이 간신히 다닐 정도로 좁았고 거실이라고는 하지만 30 평대 작은 방 크기에 현관 다른 방들로 이어지는 복도 등이 있어 더 비좁게 느껴졌다. TV 를 놓을 공간도 마땅치 않아 벽에 붙였다가 90 도 회전을 해야만 소파에서 볼 수 있는 구조로 되어 있었다. 사람이 다니려면 다시 벽에 붙여야하고 말이다. 공간이 협소하니 TV 크기가 클 수도 없어보였다. 스튜디오라고 하는 원룸도 이럴까 하는 의문이 들기도 했다. 어쨌거나 집은 그냥 휘리릭 둘러보고 나올 수 밖에 없었다. 내 예상과는 너무나도 달랐기 때문이다. 거기에 창문은 모두 홑창이었다. 이중창도 아니고 홑창, 겨울에 춥지 않을까 걱정이 되기도 했다.

그렇게 며칠에 걸쳐 벽난로가 있던 집도 가 봤고 창으로 커다란 에펠탑이 들어오는 빨간천의 벽지가 있던 집도 돌아봤다. 언제나 마음에 드는 구석이 하나 쯤은 있었다. 그런데 우리가 집을 볼 때는 많은 부분이 마음에 들고 한 두가지 정도가 마음에 썩 들지 않아야 그나마 고민을 하게 되는데 아니었다. 마음에 드는 부분이 많아야 한 두 개 었다. 한 집에는 방이 4 개라고 해서 역시나 들아가 봤는데 거실을 뺀 마지막 방이 주방을 통해서 들어가게 되어 있었다. 그리고 방 한 구석에는 세면대가 있었다. 과연 어떤 용도로 사용을 하던 방일까 하는 의문이 들 수 밖에 없는 난해한 구조였다.

그렇게 절망을 하고 있을 때, 비장의 카드라며 보여준 곳은 법인장이 사는 아파트다. 다른 주재원들이야 법인장이 직속 상관이니 어려울 수 있겠지만 난 그렇지 않았기 때문에 상관할 필요가 없다고 생각했다. 분명 윗분이기는 하지만 직접적인 보고 관계까지는 아니었기 때문이다. 그리고 이 집으로 선택을 했다. 한국 기준으로 방이 세 개다. 물론 마지막 방은 원래 목적이 다이닝룸이었던 것이라 했다. 주방에서 거실을 거쳐서 가야 하는데도 다이닝룸이라고 했다. 문 자체가 방문과는 달리 미닫이 문이었다. 아직도 나비 넥타이를 매고 식사를 한다는 프랑스 어르신들이 계시단 소리를 들으니 그럴법해 보이기도 했다. 물론 식사를 준비해 주시는 분도 채용할 수 있다는 전제하에서 말이다. 그리고 화장실이 두 개, 한국식으로 넓은 거실, 마지막으로 내 마음을 사로 잡은 것은 난방시스템이 보일러였다는 것이다. 이게 최고였다. 습한 유럽의 겨울을 지내본 사람이라면 이게 얼마나 행복한 것인지 알 것이다. 아쉬운 점이라면 거실과 다이닝 룸의 바닥이 적갈색의 카페트였다는 것은 빼고 말이다. 126 스퀘어미터의 크기 지하 주차장에 하나의 자리가 지정되고 꺄부라는 지하에 한평 남짓한 창고가 제공되었다. 주차장은 차 한대를 간신히 주차할 수 있는 정도의 크기이고 흡사 옛날 영화의 감옥을 연상시키는 캬부들을 지나 엘리베이터를 타고 집으로 올라와야 한다. 홑창이었다는 것만 제외하면 위치나 구조가 특히 보일러가 마음에 들었다. 임대료가 한화로 월 450 만원 정도 였으니 마음에 들어야만 했다.

이런 저런 불만이 없을 수는 없다. 하지만 바닥 난방이 되는 보일러가 있다는 것이 모든 커버하고도 남았다. 파리의 16 구였는데 16 구에서도 최신식 건물이었다. 옆의 건물이 1700 년대 건축된 집이었는데 우리 아파트는 1970 년대에 지어졌다고 했다. 겨우 40 년 밖에 안된 정말 새 건물이었다.

퇴직원을 제출하다

인사과에서는 분명 내게 말을 해 줬었다. 퇴직원은 나중에 늦게 내도 된다고 말이다. 왜냐하면 퇴직원을 내고 나면 노트북 사외 반출이 안되며 프린터도 사용할 수 없다고 했다. 자료 누출을 사전에 막겠다는 의도인 듯 싶었다. 어쨌꺼나 퇴사 직전까지 업무를 하는데 불편하지 않으려면 조금 늦게 퇴직원을 내는 것이 좋겠다는 것이다. 단, 사전에 임원급과 퇴직 일자에 대한 합의만 있으면 된다고 친절하게 알려줬었다. 오늘은 월급날 25 일이다. 우리 회사는 매달 18 일부터 19 일까지의 한달 근무에 대해서 매월 25 일에 급여를 지급하는 시스템이다. 그래서 19 일에 퇴사를 하기로 했다. 그런데 퇴직원을 제출하는 시스템에서 막상 퇴직날짜를 입력하려고 하니 현재로 부터 30 일 이후의 날짜 밖에 선택이 안되도록 되어 있었다. 달력에서 선택이 안되면 혹시나 수동으로는 입력되려나 했지만 역시나 한달 이후의 날짜 밖에 입력을 받지 않는다. 부랴부랴 인사팀의 담당자를 찾아갔다. 담당자는 당연하다는 듯이 아무 날짜나 기안을 올리라고 했다. 그러면 합의된 대로 수정을 해 주겠노라고 말이다. 결재라인에는 팀장, 임원급 조직장 그 다음이 인사부서인데 수정을 해 주겠노라고만 했다. 별수 없었다. 이미 내가 입력할 수 있는 날짜는 다음달 월급날이다. 안되면 휴가를 쭉 연달아 쓰면 될 일이다. 대만 회사에 입사를 하기로 한 입사일과는 조금의 여유가 있었다. 물론 나에게는 조금은 손해지만 말이다. 퇴직원을 올린 날짜와 실제 퇴사 희망일이 달랐기 때문에 우리 파트장과 담당을 찾아가서 이야기를 했다. 이미 말씀드렸었던 퇴직날짜와 퇴직원의 날짜가 다른데 인사부서에서 최종 수정할 예정이라고 말이다.

퇴직원을 제출하고 나면 뭔가 달라질 줄 알았는데 아직도 실감이 나질 않는다. 날짜를 따져보면 며칠 남지도 않았다. 중간에 추석 연휴가 거의 일주일이고 부모님과 평일에 울릉도 여행을 계획하고 있다보니 2 주일이 채 안남은 시간만 출근하면 되었다. 다행히 내가 맡았던 수주 업무 3 개도 내가 퇴사하기 전에는 모두 마무리 될 것으로 보인다. 마지막으로는 인수인계 문서를 만들어야 한다. 인수인계 할 꺼리가 없더라도 우선은 만들어 놔야겠다. 다음은 '퇴직자제지금정리부'라는 것을 모두 확인해야 한다. 주택융자가 남았는지 혹시라도 의무근무 기간이 남았는지 등등으로 모두 하나하나 확인을 해야 해서 담당자의 확인을 받아야 한다. 마지막은 노트북과 모니터 반납 그리고 아이디카드를 반납하면 모든 절차는 끝이나는 것 같다. 생각보다 이것 저것 챙겨야 할 것들이 있다. 하나씩 확인을 해야겠다. 먼저 내가 담당하고 있는 수주를 담당하는 마케팅과 해당 팀장들에게 메일을 썼다. 난 그만둔다. 그런데 수주 활동이 거의 마무리 단계라 업무엔 큰 영향은 없을 것 같다고 말이다.

제출할 서류도 하나씩 준비를 하고 있다. 퇴직금은 일시불 수령에 대한 준비가 착착 되고 있다. 내가 내야할 비용 중에는 이미 다

써버린 복리후생 포인트가 있는데 1 년치를 월할 계산해야한다고 하니 100 만 포인트 중에서 33 만 포인트를 제외한 66 만 포인트에 해당하는 금액은 마지막 월급에서 차감 한다고 한다. 마지막으로 복리 후생 중에 의료비 지원이 있는데 오늘 날짜로 퇴직원이 결재가 났는데 과연 실제 퇴직일 전까지 지원이 될 것인지 궁금하다. 어쩌면 지급된 금액 일부도 지원이 안될 수 있을 것이라는 생각이 든다. 15 년 넘게 열심히 일을 했지만 규칙은 모르고 있었다. 어쨌거나 아픈건 치료를 미리 미리 받으려고 한다.

내일은 추석 연휴 전날이라 재택을 신청해볼까 했지만 노트북 반출 메뉴가 활성화가 안되니 어쩔 수 없이 출근을 해야한다. 휴가를 내도 무방하지만 굳이 휴가를 쓸 필요가 있을까 싶다.

이런 저런 퇴사 관련 업무를 보던 중에 대만의 국제 학교에서 연락이 왔다. 아이들의 입학 날짜를 알려달라고 했다. 서류는 다 준비된거라 별도로 준비할 필요가 없다고 한다. 프랑스에 나갈 때는 학교에서 아이들의 한국에서의 성적, 예방접종 등에 대해서 문서를 발급받고 공증까지 받아서 오라고 했다. 그때가 기억나서 당연히 우리는 백여 만원을 들여서 준비를 미리 미리 했다. 그런데 아깝지만 번역 공증 맡긴 것은 쓸모가 없게 되었다. 수업을 위해서 준비할 거라곤 수업 중에서 사용할 노트북만 준비하면 된다고 한다. 아이들은 모두 지금의 회사에서 중학교 입학 당시에 노트북을 입학 선물로 받았기 때문이다. 실감이 날만도 하건만 아직도 크게 실감이 나질 않는다.

○○○ₒₒₒ○○○

이보다 훨씬 전인 2008 년도에 퇴직을 했었던 때가 기억이 난다. 당시에 다니던 회사는 중소기업이라고 부르긴 했어도 종업원 수 600 명이 넘고 매출도 꽤 커서 법적으로는 대기업으로 분류된다고 했다. 회사는 분당에 있었다. 처음엔 제조업체에서 투자한 벤처회사에서 일을 했었고 조금씩 큰 회사로 옮겼었다. 그러다가 당시엔 누구나 알만한 대기업으로 이직을 시도하고 있었다. 토익 점수도 있었고 경력도 나름 나쁘지 않다는 생각에서 그랬다. 2 년여 동안 총 3 번의 이력서를 제출했더랬는데 운이 맞아서 이직을 하게 된 것이다. 퇴사 면담에서는 대기업이라고 하니 크게 잡는 분위기는 아니었다. 퇴사면담은 이사님까지 진행을 하고 바로 퇴사 날짜를 협의 했다. 엔지니어들의 인수인계라는 것이 크게 할일이 없는 것이라 채 한달이 되지 않아 퇴사하는 것으로 날짜가 정해졌다. 6 월 27 일 금요일이 내 퇴사날짜 였다. 그리고 휴가를 소진해야했기에 가족들과 첫 해외 나들이 계획도 세웠다. 둘째가 갓 백일이 지났지만 우린 여행을 감행하기로 하고 계획을 세웠다. 일본 디즈니랜드에 가보고 싶다는 하늘이의 소원을 들어주기 위해서 말이다. 갓 백일이 지난 놈을 안고서 일주일여의 달콤한 여행을 다녀왔더랬다.

그런데 퇴직원을 내고 얼마 지나지 않아 총무과에서 연락이 왔다. 여러모로 잘 아는 직원이었다. 왜냐하면 당시 사보기자 역할을 하면서 행사 사진도 많이 찍었기도 했었기에 이런 저런일로 자주 볼 기회가 있었더랬다. 영문을 모르고 찾아갔는데 내 퇴직원을 들고 있었다. "차장님, 여기 퇴사 날짜를 27 일에서 29 일 일요일로 바꿔주세요" "네?" "일요일에 퇴사하시는 걸로 하셔도 되요. 이틀이라 퇴직금이든 월급읻든 얼마 차이는 안나겠지만 그래도 그렇게 하시죠?"

별거 아닐수도 있겠으나 나를 생각해 주는 것 같아서 고마웠던 기억이 있다. 아쉽게도 이 친구는 연락이 닿지도 SNS 도 안하는지 어떻게 알 길은 없다. 다른 친구들은 그나마 SNS 를 통해서 소식이나마 가끔 듣는데 말이다.

우리 아파트 이야기

회사에서의 사직서 제출과 함께 오늘은 아마도 나에게는 마지막이 될 아파트 입주자 대표회의가 있는 날이다. 회장으로서 오늘의 주요 안건은 아파트 외벽도색과 방수공사에 대한 입찰결과를 공유하는 안건이 주된 내용이다. 낙찰이 되었는지 유찰이 되었는지 확인을 하는 일이다. 10 여년을 외벽 공사도 없이 살았다는 것과 이전 입주자대표회의에서 어떤 이유에선지 공사를 다음 기수인 우리에게 넘겨버렸다. 아파트라는 곳이 다양한 사람이 모여 사는 곳이다보니 별의 별 사건이 다 있었던 듯 싶다. 들어보면 다른 아파트들에서는 공금을 사적으로 사용하거나 공사를 하면서 뒷돈을 받아 챙기는 일들이 꽤나 빈번하게 있었던 것 같다. 그러니 내가 회장으로 출마를 했을 때에도 누군가는 공사를 보고 입후보 했다는 소문까지 내 귀에 들어오기도 했다. 공사의 입찰까지 오는데도 쉽지는 않았다. 입찰 공고문을 두세번 수정을 했고 다시 의결을 거쳐야 했다. 악성 민원도 한 몫했다. 하지만 여전히 합리적인 의심이 드는 부분은 회장인 나를 빼고 누군가가 직접 업체들을 만나 담합을 하고 있다는 합리적인 의심을 할 수 밖에 없는 것이다. 어제 6 시에 공식적으로 입찰이 마감되었다. 총 9 개의 업체가 입찰에 참여했다고 했다. 그런데 입찰 금액을 줄을 세워 놓고 보니 아주 바람직한 차이로 이루어져 있었다. 바람직한 차이라는 것이 누군가가 엑셀로 만들어 놓은 금액 같다는 이야기다. 10 억짜리 공사에 9 개의 업체가 참여를 했는데 1 등과 9 등까지의 가격 차이가 2400 만원 밖에 안된다. 꼴찌로 갈수록 그 차이는 몇 십만원 정도다. 감리의 감리 비용은 80 만원 밖에 안되고 누군가가 감리를 추천했다는 소문도 있다. 분명 누군가는 담합을 했다는 합리적인 의심은 지울 수 없다. 그나마 위안을 삼는 것은 10 억 7 천이라는 감리가 정한 금액에 수렴할 공사비용을 9 억 3 천까지 낮췄다는 것이다. 부가세를 포함하면 1 억 5 천 정도의 비용을 아낀 것이다. 더 아낄 수 있는 방법이 있기는 했지만 워낙 올해에 공사를 해야 한다는 의견들이 많았기 때문에 더 이상 밀어붙일 수가 없는 것이었다.

또 한가지 중요한 쟁점 중의 하나는 아파트에서 불법 입대를 했던 헬스장 문제였다. 구청장과의 만남에서 헬스장을 유지코자 결성된 비대의와 입대의 그리고 구청이 함께 만나서 문제를 풀어보자는 취지로 제안을 했고 그 제안이 받아들여졌다. 그런데 구청에서는 나를 배제하고 비대위의 법률 자문을 하는 분과 만났다. 법률 자문을 해 주시는 분 역시 아버지벌 되는 연배셨다. 어른으로서 예의를 갖추지 않는다면 꽤나 말싸움을 많이 해야 할 그럴 스타일의 어른이었다. 말씀하시는 것이 아주 늘어질대로 늘어지는 만연체로 한번 말씀을 시작하시면 한시간은 우습게 보낼 수 있는 능력을 가진 분이다. 법률적 지식이 있고 인맥이 넓다는 것으로 사람을 무시하는 듯 한 언사를 지금 생각해도 난 지금까지 잘 참아냈다. 요점은 구청에서 헬스장 철거 기한으로 정해준 시간이 9 월 말이고 명도 소송이 진행 중이므로 철거 기한을 연기해 달라는 것이었다. 지난 주에 명도 소송 진행 중임을 사유로 기한 연기를 요청하는 공문을 보냈다. 그런데 회신이 온 사항은 입대의에서 헬스장을 철거하는 것으로 결의를 한 내용일 첨부해야지만 연기를 해 주겠다는 것이었다. 입대의에서는 헬스장을 유지하는 것인데 연기를 하기 위해서 철거하는 쪽으로 의결을 먼저 해야만 철거 기일을 늦춰준다는 것이었다. 나 뿐만 아니라 대표님들도 이해를 하지 못하셨다. 헬스장을 철거하는 것으로 의결을 해서 구청에서 철거 연기를 해 준 것인데 그 다음엔 헬스장 유지하겠다고 하자는 것이다. 논리에 맞지 않아 한참 설왕설래를 하다가 법률 자문으로 받고자 입대의로 모셨다. 꼬박 한시간의 강론이 이어졌고 중간 중간 나를 긁는 듯한 언사도 있었다. 뭐가 그리 잘났는지는 모르겠으나 속에서는 한바탕 하고 싶은 마음이 굴뚝 같았다. 하지만 아파트를 위하는 일이니 좋은게 좋은거라고 맞장구를 쳐줬다. 그렇게 맞장구를 쳐주고 있는데 갑자기 내 이야기를 한다. 왜 해외로 가는 것을 이야기 하지 않았느냐는 것이다. 일부 대표님들과 말씀을 나눴고 중대한 아파트의 일들이 있으니 계약이 마무리 될 때까지는 공식적으로 이야기 하지 말자는 의견이 있어서 그랬다고 했다. 알겠다고 했으면 깨끗했을텐데 그건 입대의 일이니 본인과는 말하지 말라고 손사레를 친다. 당신이 물어봐 놓고서 엉뚱한 소리를 해 대는 것이다. 정말 마음 같아서는 한마디 쏴붙이고 싶었다. 그런데 무슨 교주라도 되는 듯이 고개를 끄덕이는 몇몇을 보니 우습기까지 했다.

입대의에는 파견이라고 했다. 그게 여러모로 변명아닌 변명을 하지 않을 수 있는 방법이기 때문에 그랬다. 갑작스런 이민 결정에 대해서 나도 갈피를 못잡고 있는데 입대의의 말많은 사람들에게 일일이 하나하나 설명하고 싶지도 않았고 그럴 필요도 못 느꼈기 때문이다. 어쨌거나 나의 해외 파견은 공식화되었고 조만간 입대의에서 빠져나올 수 있게 되었다. 회장 부재시는 이사들 중에서 최고 연장자가 대행을 하는데 일상적인 업무만을 할 수 있기 때문에 계약 등은 할 수가 없단다. 그러니 빨리 투표를 진행 할 수 있도록 관리소장에게 얘기를 해 둬야겠다.

OOOoooOOO

세상은 생각보다 좁아졌고 가까워졌다. 내가 떠난 회장직은 공석이 되었고 대만에 도착한 후, 몇 주가 지나자 연락이 왔다. 뭔가 구린 것이 있는 듯한 쪽과 어떻게든 바로잡아 보려는 쪽이 팽팽히 맞서 있는 듯 보였다. 나에게 선거운동 지원을 해 달라는 요구도 있었다. 분명 내가 지지하는 쪽이 있긴 하지만 대 놓고 선거운동을 하면 안되는 법이다. 한쪽 후보만 입주민 단톡방에 들어와 인사를 하길래 다른쪽에도 슬쩍 흘려주고 어떻게 답변을 하는게 좋을지 정도 조언을 해 줬다. 그렇게 며칠만에 투표가 진행이 되었고 다행인지는 모르겠으나 내가 지지하는 쪽이 당선이 되었다. 내가 못다했던 일들이 잘 마무리 될꺼라 기대를 해도 될 것 같았다. 신임 회장님께 축하메시지를 보내주고 난 단톡방에서 전임 회장으로서 마지막 인사를 하고 빠져나왔다. 내 생각에 정치판 못지 않은게 아파트 운영이다. 조금이라도 이득이 될만한 건수가 있으면 어떻게든 찾아 드시는 대단한 분들이 참 많다는 것을 몸소 배운 짧은 시간이었다. 물론 증거는 없다. 합리적으로 의심을 할 수 없는 상황이 그랬고 같은 의심을 갖는 분들이 나를 찾아와 하소연하듯 해 준 얘기가 랬다. 우리 정치판도 이와 별반 다르지 않을 것 같다는 혼자만의 추측도 하면서 그렇게 직에서 물러났다. 그리고 더 이상 미련이 없어 내 책상위에 올려져 있었던 입대의 회장 명패를 재활용 쓰레기 통에 넣었다. 재활용이 될지는 모르지만 말이다.

이삿짐 정리

'당근~'이라는 알림이 울린다. '아빠 당근왔어요'라고 막내가 외친다. 6 일의 추석 연휴가 절반이 지나 사흘 밖에 남지 않았다. 고향에서 차례를 지내고 처가에 들러 집에 다시 온 것은 어제였다. 추석이 연휴의 두 번째 날에 있었기 때문에 쉴 수 있는 시간이 많았다. 호짱은 필요없는 짐들을 정리 중이다. 이사를 갈 일이 없었다면 정리가 안되었을 법한 짐들, 구석에 박혀 있어서 사용하지 않았던 물건들이 밖으로 하나씩 나왔다. 한동안 정리를 하지 않았기 때문에 정리해야 할 짐들이 많았다. 나부터 식구 모두가 잘 정리를 하지 않는 성향이다보니 가진 물건들 중에서 잘 사용하지 않는 물건들도 항상 어딘가에 둔다. 필요가 없는 물건들은 정리를 해야 하는데 그러지 못하다 보니 여기 저기 정리해야 할 것들이 많았다. 정리를 부추긴 것은 우리집의 모든 짐을 대만으로 가지고 갈 수 없다는 이사 업체의 해외 이삿짐 업체의 예측 때문이었다. 소파도 못 가지고 간다고 했고 식탁도 어렵다고 했다. 제리 방에 있는 장롱과 서랍장, 그리고 책장도 못 가지고 갈꺼라고 했다고 한다. 이렇게 얘기해 줬다고 했다. 우리 짐 중에서 가져가기가 어려운 물건은 장농, 서랍장, 책장, 소파 등이 있다고 했고 그것 중에서 어느것을 가져갈지 우선순위를 매겨 달라고 했다고 했다. 만약에 다른 짐들을 모두 싣고 나서 여유가 생기면 나머지 물건들 중에서 우선순위 대로 이삿짐에 실어 주겠다는 것이다. 방문을 했던 두 개의 업체에서 모두 그랬다고 했다. 하지만 큰 물건들 특히 소파나 식탁은 호짱이 가지고 가고 싶어했다. 새로운 곳에서 새로운 가구들과 함께하는 것 보다는 쓰던 것들을 쓰는 것이 좋을 것 같다는 생각이 들었다. 해외에 나가면 몸이 먼저 긴장을 하기 때문에 친근한 것들과 함께 하는 것이 좋을 것 같다.

가족없이도 석달 넘게 출장으로 프랑스에서 일을 했었고,가족들은 이삿짐을 보내고 두 달 정도 있다가 짐이 도착한 후에 프랑스에 왔다. 난 정말 잘 지냈었다. 몸에 이상도 없었고 마시는 물이 바뀌었다고 몸에서 이상한 신호를 느끼지도 않았었다. 그런데 웬걸, 집에 이삿짐을 혼자서 풀고서 난 첫날을 소파에서 잠을 취했다. 거실이었고 혼자서 침대에서 자는 것이 별로 내키지 않았었던 것 같다. 그런데 첫날 밤에 실수를 했다. 물을 갈아먹은 듯 속이 엉망이었고 그 이후는 상상에 맡기겠다. 그만큼 몸이 친근한 것들과 만나니 긴장이 풀어졌던 것으로 생각이 되었다.

우리 아이들도 친근한 소파와 친근한 식탁에서 생활하는 것이 좋겠다고 생각을 했다. 그리고 짐들은 정리를 하긴 해야 했다. 얼마전에 벌써 거실에 있는 책장에서 200 여 권의 책을 처리했었다. 그런데 오늘 다시 정리해 보니 얇은 책들까지 추가로 200 여권이 또 나왔다. 그래도 책장엔 책들이 꽤 있어 보인다. 책은 모두 버릴 수도 없고 나중에 분명 찾아서 읽고 싶은 책들이 있기 버릴 수 없다.

정리하면 한권 두권 정리가 되긴 하지만 이게 최선인 듯 싶다. 눈에 보이는 것들 중에서 정리할 것들, 그 중에서 그냥 버리기가 아까운 것들을 당근에 올렸다. 하늘이가 TV 프로그램을 보고서 낚시를 하고 싶다고 해서 사 모은 낚시 장비가 그랬다. 내가 낚시라는 것을 해보긴 했어도 즐겨하는 편이 아니라서 저렴하게 구성한 장비들을 중고로 판매하기 위해서 당근에 올렸다. 바다에서 납추를 달아서 멀리 던져서 낚시를 하는 원투낚시대, 가짜 미끼를 끼워서 낚시를 하는 루어 낚시 세트를 팔았다. 구매했을 때 비해서 절반도 안되는 가격에 팔려고 하니 아깝기도 했지다. 하지만 사놓고 몇 번 사용하다가 구석에 쳐 박혀 있는 것을 보면 처리하는 것이 맞겠다 싶었다. 거기에 사 놓고 한번도 세상 구경을 해보지 못한 민물 낚시대도 있었다. 당근으로 중고를 판매하다 보면 대부분 젊은 사람들이고 내 또래의 사람도 있다. 그런데 낚시대는 70 대 후반의 어르신께서 구매를 해 가셨다.

그 외에도 이런 저런 것들을 처리하려고 내 놓고 당근에 올리기 위해서 사진을 찍었다. 나 뿐만 아니라 가족들 모두가 짐을 줄이고 있었다. 하지만 누군가가 당근에 올리려는 것을 반대하는 물건들도 있었다. 가족들의 추억이 남아 있는 물건들이 그랬다. 남들이 보면 뭐 저런 물건에 추억이 있겠나 싶은 물건이겠지만 가족 구성원 중, 누군가가 팔지 말자고 하면 우리는 그대로 가지고 있는 것으로 결정을 했다. 오래된 장식용 카메라가 그랬고, 프랑스 모터쇼와 프랑크푸르트 모터쇼에서 사 모은 미니카들이 그랬다. 지금도 그 때가 생각나는 것 같다. 첫 해외 살이에서 만들었었던 추억만큼이나 이번 대만에서도 많은 좋은, 행복한 기억을 만들었으면 좋겠다.

OOOoooOOO

프랑스로 파견을 나갈때와 들어올 때, 모두 해외 포장 이사를 이용했다. 일일이 품목 하나하나를 포장을 다 해주기 때문에 별로 할 일이 없을 것 같아보이지만 이번에 이삿짐을 싸면서 보니 신경쓸일이 꽤나 많았다. 프랑스로 나갈 때는 한국과 같은 220 볼트로 전압은 같았다. 다만 주파수가 달라서 쓸 수 없는 가전제품이 있었다. 주파수를 바꿔주는 주파수 변조기가 있다고는 하지만 추천을 하지 않는 분위기라 깨끗하게 포기를 하고 냉장고 하나만을 챙겨가기로 했다. 모두 호짱이 알아보고 판단을 했다. 냉장고는 처분할 수도 없어 가져가긴 했는데 안타깝게 도착하는 그날 코드를 꼽자마자 사망을 했다.

이번엔 주파수가 같았다. 그런데 전압이 달랐다. 우리가 쓰는 220 볼트가 아니라 110 볼트다. 승압기라는 것을 써야한다고 했다. 대만에서는 공산품이 비싸다고 해서 쓰고 있던 가전 제품 중에서 가지고 갈 수 있는 것은 가져가고 싶다고 했다. 어떤 방식의

승압기를 구매하면 되는지 공부를 했고 그 결과 스타일러, 전기밥솥과 김치 냉장고를 가져가는 것으로 결정을 했다. 그 뿐만이 아니라 가져갈 수 있는 식료품도 준비를 해야하고 먹고 있던 약들을 어떻게 가지고 갈 수 있는지도 고민을 해야했다. 이삿짐은 제일 작은 컨테이너 사이즈인 20 피트짜리에 담기기 때문에 이삿짐에 대한 다이어트도 필수였다. 만약에 장농이 있다면 1 순위로 폐기를 해야한다. 그 안에 뭔가 담으면 나무가 약한 것을 대부분 썼기 때문에 무너지고 만단다. 그래서 해외 이사에서 장농은 포기해야한다. 그 외에 모든 짐은 표준화된 박스에 넣거나 별도로 박스를 만들어 넣는데 그것도 하나씩 보면서 어떤 짐이 어디서 나왔는지를 하나씩 체크도 해야한다. 동일한 평형 동일한 구조가 아니다보니 일일이 체크를 하고 반대로 이삿짐을 풀때는 어디로 가야하는지를 하나씩 얘기를 해 줘야 하기 때문이다. 일반 이사가 이삿짐 싸는데만 반나절 걸린다면 해외 이사는 하루 웬종일이다. 하나씩 박스에 넣어야하고 가능하면 많은 짐을 정해진 공간에 넣어야 하기 때문에 할수 있는대로 분해를 한다. 예를 들자면 책상 같은 것이 대표적이다. 상판과 다리를 분리할 수 있다면 분리해서 각각의 박스에 넣는 방식이다.

하루 종일 이삿짐과의 사투를 벌이고 나니 저녁이었다. 집안은 텅 비었고 우리만 덩그러니 남았다. 그렇게 덩그러니 우리는 그 집에서 2 박을 하고 비행기를 탔다. 온 가족이 함께 생활하는데 필요한 최소한의 도구만을 가진 피난 아닌 피난 도구들만 챙겨서 말이다.

대만에 도착해서도 마찬가지, 이삿짐이 도착하기 3 주간 우리는 가장 최소의 가재도구로 출근을 하고 아이들은 학교에 가야한다. 텅빈 집에서 우리 호짱은 뭘하며 지내야 할지 걱정스럽다.

학비 계산

대만으로 오는 조건 중의 하나는 아이들 학비 지원이었다. 전체를 해 주면 좋으련만 일부만 지원 받는 조건이다. 몇 퍼센트를 해 준다는 것이 아니라 1 년에 최대 지원금이 정해진 지원이었다. 3 년 동안만 지원을 해 준다고 하는 것을 애들이 고등학교를 졸업할 때까지 지원을 받는 것으로 협상을 했다. 총 3 년치 지원을 더 받아낸 셈이다. 다행히 회사에서는 내 요구사항을 별다른 트집 없이 수락을 해 줬다. 고맙게도 말이다. 아이들이 갈 학교의 학비를 미리 알아봤을 때에는 회사에서 지원이 나오는 비용과 내가 학교에 지불을 해야 하는 금액과는 큰 차이가 나지는 않았다. 얼마 차이가 나지 않으니 자부담을 해도 크게 상관 없겠다 싶었다. 아이들을 위해서 내린 대만으로의 이주 결정이었고 대부분의 비용이 나온다고 하니 나름 만족스러웠다. 거기에 집 임대료도 대부분 지원을 받으니 한국서 받는 연봉 만큼만 받아도 좋겠다는 생각을 했다. 물론 연봉은 한국서 보다는 조금 더 받는다. 하지만 세금이 많다고 해서 걱정을 하긴 했다. 그렇게 조건은 나쁘지 않다고 생각을 하고 있었다.

그런데 갑자기 '앗!' 하는 생각이 들었다. 왜냐하면 갑자기 든 생각에 한쪽은 1 년이고 한쪽은 학기라고 쓰여있었던 것 같다는 생각이 얼핏 들었다. 이런 젠장! 하던일을 멈추고 서류들을 뒤지기 시작했다. 혹시나 했던 내 예상은 틀리지 않았다. 보고 싶은대로 봤던 것이다. 1 년에 절반 정도는 회사에서 절반은 내가 부담해야 하는 수준이었다. 처음이라면 꼼꼼히 살펴봤을 것인데 두 번째다 보니 선입견이 작용을 한 것이었다. 프랑스에 주재원으로 나갔을 때에는 학비를 1 년에 한번만 내는 시스템이었기 때문이다. 그래서 당연하게 여기도 1 년에 한번만 학비를 내는 것이 아닐까 생각을 하고 학교에서 안내를 하는 학비를 당연히 1 년치로 생각을 했었던 것이다.

그래도 뭐 어쩌겠는가? 아이들을 위해 내린 결심인데 내가 감내해야지. 그런데 잘 계산해보니 그게 그리 큰 금액은 아니었다. 2 학기에 내는 학비를 보니 둘이 합쳐 450,000 NTD 정도다. 1 년이면 900,000 NTD 이것 저것 추가로 낸다고 해도 백만 NTD 다. 백만 NTD 면 4 천 2 백만원쯤 한다. 1 년 학비 치고는 파리에서의 학비보다 꽤 싼 것이다. 회사에서 얼마를 대주던 충분히 감내해낼 수 있지 않을까 용기를 내 본다. 그래도 사실 속이 쓰리긴 하다.

OOOoooOOO

아이들 셋의 1 년 학비는 10 만 유로가 꽤 넘는 금액이었다. 당시 1 유로가 1400 원이 넘었을 시기였고 가장 낮을 때가 1200 원대 초반이었다. 그러니 최소 1 억 2 천은 된다는 소리다. 어지간한 대기업 부장 연봉 저리가라 할 수준의 비용이 학비로 나간다. 그런데 우리 회사는 정규 과정의 경우 전액 회사 지원이었다. 유치원의 경우엔 80%를 지원해줬다. ASP 라는 파리에서 유명한 외국인 학교를 다녔는데 유치원도 있었다. 그래서 둘째는 1 년, 막내는 2 년을 회사의 지원을 받고 유치원을 다닐 수 있었다. 유치원 20% 비용을 냈음에도 불구하고 한국에서의 사교육 비용을 생각하면 정말로 크지 않은 비용이었다. 을 들여서 아이들이 4 년 동안 학교를 잘 다녔고 덕분에 한국에 돌아와서도 외국어는 별도로 공부하지 않았다. 내가 다른 사람과 다른 마인드를 가지고 있었고 호짱이 별도 외국어 유지를 위해서 학원을 다닐 필요가 없다는 내 의견에 동의해 줬기 때문에 가능한 일이었다.

처음 아이들이 귀국하고 나서는 부모님과 친척들이 우리 둘째와 세째를 보고 놀라셨다고들 했다. 이유인즉, 지들끼리 놀때는 항상 영어로 얘기를 했기 때문이었다. 그런데 놀라운 사실 또 하나는 그것이 6 개월을 채 넘기지 않는다는 것이었다. 더더욱 놀라운 점은 아이들이 초등학교 저학년에 프랑스에서 돌아와 만 7 년만에 해외로 나왔는데도 같은 또래들과 같은 반에서 영어로 수업을 들을 수 있는 정도의 영어 실력이 된다는 점이었다. 물론 어휘력은 딸린다고 했다. 그리고 역사는 한국사가 아니라 미국사를 배워야하기 때문에 힘이 들 것이고 에세이도 쉽지 않을 것이긴 하다. 그저 잘 하길 바랄 뿐이고 필요함 도와주기도 해야할 것이다.

당시 주재원이 10 명이 조금 넘는 규모였는데 아이가 셋인 집은 우리가 유일했다. 4 년 임기를 마치고 돌아갈 무렵, 후임이 정해졌단 소식을 듣자마자 회계 담당 부장이 나를 보자고 했다. 내 후임에 대해서 물어보다가 마지막에 아이 숫자를 물어본 것은 회사에서 부담 해야할 복리후생 비용이 얼마나 줄어드는지 알고 싶었기 때문이었으리라. 후임은 아얘 아이가 없었다. 그 얘기를 했더니 다른 소리는 안하고 씨익 웃는다.

첫 마일리지 항공권

대만으로 이민을 가게 된다. 이민이라지만 누군가는 돌아올 기약을 하고 떠나기 때문에 이민이 아니라고도 한다. 외노자, 외국인 노동자로서 몇 년 살다가 온다는 것이 더 맞는 얘기가 아니냐고도 한다. 뭐라도 상관은 없다. 아이들의 교육을 위해서 떠나는 길이다. 멀리 떠날 수도 있었다. 왜냐하면 회사에서는 처음에는 일본, 그리고 조금 지나서는 유럽 시장의 개척을 위해서 독일을 제안하기도 했었기 때문이다. 그런데 양가 부모님의 연세도 고려를 했다. 내년에 팔순을 맞는 아버지와 장인어른 뿐만 아니라 어머니와 장모님도 건강이 예전만 못하다고 느꼈기 때문이다. 그래서 멀리 가는 것이 부담스러웠다. 더군다나 하나 뿐인 아들이 나와 같은 시기에 미국으로 이민을 가는 처가가 많이 마음에 걸렸다. 미국으로 이민을 보내고 나면 앞으로 만나기가 거의 불가능하다고 생각을 했기 때문이기도 했다. 이민을 가면 한국으로 쉽게 돌아오기도 쉽지 않고 연로하신 부모님께서 12 시간 이상 가야하는 비행기를 타고 자주 다닐 수도 없기 때문이다. 그래서 두 달에 한번 정도씩은 한국을 방문하겠다고 선언을 했다. 거기에 호짱은 암 치료 때문에 더 자주 와야 할 수도 있다. 짧으면 1 박 2 일 방문이 될 수도 있겠지만 병원 진료를 빼 먹을 수는 없지 않은가? 대만의 의료 체계도 좋다고는 하지만 말이 통하지 않으니 별 수 없기도 했고, 치료는 받던 곳에서 받는 것이 좋겠기 때문이기도 하다.

편도 비행기를 이용해서 나를 포함한 온가족이 10 월 28 일에 대만으로 들어가기로 했다. 다음주에는 회사에서 항공권을 보내주기로 했다. 짐이 많을 것 같아서 마일리지를 써서 비즈니스 클래스로 업그레이드를 할 것이다. 마일리지가 있다고 해도 아무 항공권이나 업그레이드를 해 주는 것은 아니다. 항공권에는 같은 이코노미 클래스에서도 클래스가 나뉘어져 있다. Y 클래스는 기억하기에 꽤나 비싸게 주고 산 이코노미 클래스이다. 여러 등급이 있겠지만 M 등급이 마일리지를 써서 업그레이드 할 수 있는 가장 싼 티켓이다. 지난번 회사에서 제공을 해 줬었던 항공권은 Q 클래스로 업그레이드 자체가 불가능했었다. 당시에는 좌석 업그레이드 할 생각도 없긴 했다. 겨우 두시간 조금 더 걸리는 거리를 굳이 비싼 비즈니스를 탈 이유는 없으니까 말이다. 이번엔 짐이 많다는 핑계로 업그레이드를 해 볼 요량이다. 그래서 티켓을 끊을 때 가능하면 M 클래스 이상의 이코노미로 부탁을 했고 그렇게 해주겠노라는 확답을 받았다. 짐을 어떻게 꾸려서 가느냐는 나중에 고민을 하기로 했다. 아! 그리고 한가지 더 회사에 부탁을 한 것은 픽업 서비스를 해 줄때 큰 차를 보내 달라는 부탁도 했다. 감사하게도 바로 티켓을 보내주겠다는 회신과 함께 커다란 밴을 배차시켜주겠노라고 했다. 역시나 황송한 대접이다.

두 달에 한번씩은 한국을 방문하겠다는 내 계획은 대만으로 가서 실행을 할 것이 아니라 미리 준비를 해야 했다. 왜냐하면 10 월에 들어가고 두 달 후면 크리스마스다. 크리스마스와 연말이 겹치면 항공권 잡기가 만만치 않을 것 같았다. 그래서 부랴부랴 마일리지를 사용해서 티켓팅을 하려고 시도를 했다. 24 일 출발해서 1 월 1 일에 돌아오는 일정이 가장 좋았다. 왜냐하면 크리스마스는 한국서 보내고 아쉽지만 1 월 2 일이 개학일이기 때문에 1 월 1 일에는 돌아가야 하기 때문이었다. 그런데 역시나 내 맘처럼 남아 있는 마일리지 보너스 항공권은 원하는 날짜에 없었다. 찾아보니 그나마 남아 있는 티켓은 12 월 21 일, 그리고 12 월 31 일 비행기 뿐이었다. 선택의 여지가 없었으므로 나를 뺀 호짱, 제리, 하늘이의 보너스 항공권을 끊었다. 그래도 40 여만원을 추가로 결제해야 했다. 다행히 그 시기가 학교의 겨울 방학이었으므로 크게 문제될 것은 없었다. 왜 내 티켓을 끊지 않았느냐 하면, 21 일이 목요일이었기 때문이다. 목요일부터 그 다음주까지 휴가를 쓰기는 아무래도 눈치가 보일 것 같았다. 그래서 난 토요일 23 일에 출발하는 것으로 하고 돌아오는 일정은 같은 일정으로 끊었다. 어차피 마지막 주에 휴가를 쓰는 것은 어렵지 않을 것 같았기 때문이다. 25 년전에 결혼을 하면서 마일리지를 쌓아서 유럽여행을 가자고 했던 것은 유럽 주재원으로 파견을 나가는 덕에 실행에 옮길 수 없었다. 마일리지는 신용카드를 써서 모은 마일리지와 내가 출장을 다니면서 쌓은 마일리지를 합하니 아시아나는 100 만 마일을 넘었고, 대한항공은 25 만 마일이나 된다. 안쓴다고 나중에 가족 여행을 갈 때 쓴다고 출장을 다니면서 한번도 마일리지로 업그레이드를 하진 않았다. 그래도 가족들이 프랑스에서 한국을 오고 갈 때, 몇 번 업그레이드에 사용을 해서 꽤나 요긴하게 쓰긴 썼다. 그렇게 쓰고나서 모아 놓은 것이 그나마 45 만 마일이다. 앞으로는 이 마일리지를 알뜰하게 써 봐야겠다.

OOOoooOOO

2 년 전에 여권에 도장을 찍을 곳이 없어서 여권을 새로 발급을 받았다. 내가 이렇게나 비행기를 많이 타고 돌아다니게 될 줄은 사실 꿈도 꾸지 못했다. 유럽 내에서의 출장에는 별도로 도장을 찍지 않았던 것과 언제부턴가 한국 입출국시 별도로 여권에 도장을 찍지 않는 것을 생각하면 꽤나 많이 비행기를 타긴 했다. 아시아나가 100 만 마일을 넘었다. 여기에 절반 이상이 신용카드로 적립한 마일리지이긴 하지만 말이다. 1998 년 결혼을 하고서 마일리지를 모아서 유럽여행을 가자고 모으기 시작한 마일리지가 50 만 마일이 넘은 것이다. 거기에 대한항공으로 쌓은 마일리지가 25 만 정도, 사용한 마일리지는 아시아나와 대한항공을 합해서 벌써 100 만 마일을 넘었다.

유럽 여행을 다니겠다고 모으기 시작한 마일리지는 유럽에 살게 되었으니 크게 사용할 일이 없었다. 하지만 가끔 한국으로 들어갈 일이 있을 때는 요긴했다. 마일리지는 내가 사용하고 싶다고 해서 아무때나 사용할 수 있는 것은 아니고 비행기마다 마일리지 좌석 수가 정해져 있었다. 그래서 사용하고 싶을 때마다 사용을 할 수는 없었다. 하지만 조금만 부지런하면 일부 공항이용료나 유류할증료만 부담하고 항공권을 사용할 수 있었다. 그 비용이 꽤나 컸지만 온전한 항공권 대비 저렴했다. 물론 출장 중에 이코노미에서 비지니스로 업그레이드를 할 수는 있었다. 하지만 나중에 가족과 함께 사용할 욕심이 정말로 한번도 마일리지 업그레이드는 사용하지 않았다. 몸이 아주 힘들때는 사용을 하려고 하기도 했지만 이상하게 그런때에는 마일리지로 승급할 자리가 없었다. 하지만 가족들에겐 많이 관대하지 않았나 싶다. 프랑스로 나간 4 년 동안 많은 비행기를 탔었어도 무료 승급기회는 없었다. 그것보다는 가족들이 마일리지를 이용해서 비즈니스를 탄 경우가 많았던 것 같다.

그렇게 사용하고 남은 마일리지가 40 만 마일이 조금 안된다. 이젠 대만과 한국을 오가는데 사용할 계획이다.

울릉도와 독도

동생 이렇게 말했다. '우리 식구끼리 여행을 온 것이 처음인 것 같다'고 말이다. 그랬었나 싶다. 어머니 아버지가 바쁘게 사신 것은 사실이고 내 어릴 때, 어딘가 놀러갔거나 외식을 했던 기억은 없는 것 같긴 했다.

갑작스레 다시 해외로 떠나게 되는 것이 죄송스럽기도 했고 최근에 울릉도를 한 번 가 봤으면 하셨던 말씀이 기억이 나서 갑작스레 여행을 가자고 제안을 했다. 부모님과 동생과 나 이렇게 넷이서만 말이다. 평상시라면 하지 못했을 일이지만 회사를 그만두는 시점에서는 휴가를 어느 정도 쓸 수가 있겠다 싶었다. 동생은 주로 주말에 일을 하는 포토그래퍼라서 주중에 가는 것으로 제안을 했다. 울릉도가 가깝지는 않지만 2 박 3 일이면 충분할 것 같았고, 어떻게 하면 기억에 남는 여행을 만들까 고민을 했다.

공항이 없으니 배를 타고 가야 한다. 어떻게 가는 것이 좋을까 검색을 하다보니 크루즈를 타고 가는 방법이 있었다. 내 차까지 싣고서 갈 수 있으니 울릉도에 내려서 별도로 렌트를 할 필요도 없었다. 어느 다큐멘터리인지 여행 유투버인지가 이야기 해 준 것이 떠 올라 더 쉽게 결정을 내리게 되었다. 배에서 내려서 렌트하기까지가 번거롭기도 하고 비용도 만만치 않다는 얘기가 있었다.

어차피 크루즈는 큰 배고 낯선 다른이의 차를 타는 것 보다는 비용이 비슷하다면 내 차를 가지고 가는 것이 더 좋겠다고 생각을 했다. 울릉도로 들어가는 배 편은 묵호, 후포, 포항항이 있었는데 후포가 가장 가깝고 시간이 짧게 걸렸다. 아침 9 시 경에 배가 출발해서 점심때쯤 도착을 하는 것이라 시간도 나쁘지 않았다. 다만 차를 싣기 위해서는 7 시 40 분까지는 후포항에 도착을 해야 했다. 고향 이천에서 떠나려면 새벽 두세시에는 출발을 해야 한다는 계산이 섰다. 나야 괜찮다고는 하지만 부모님이 힘드실 것 같아서 하루 전날에 미리 후포항 근처에서 1 박을 하기로 했다. 돌아오는 날은 오후 세시 경에 배를 타서 8 시가 넘어서 후포에 도착을 하니 차를 끌고 이천까지 가면 12 시가 넘는다. 그래서 2 박 3 일 여행 일정을 잡았던 것이 결국에는 4 박 5 일이 될 것이었다. 호짱이 흔쾌히 다녀오라고 했다. 이삿짐도 싸야하고 이것 저것 준비할 것이 많았지만 다녀오라고 해 주니 기분이 좋았고 고마웠다.

생전 처음 타보는 크루즈, 가족 여행이 처음인 우리들, 육지의 그것과는 많이 다른 섬 울릉도, 정말 모든 것이 새롭게 경험해 보는 것이다. 나리분지를 가는 길 역시 내가 다녔던 험하다는 산길은 저리가라고 할 정도로 험했고 울릉도는 모든 도로가 아스팔트가 아닌 시멘트 도로였다. 그래서 승차감이 정말 좋지 않았다. 정말 새로운 경험이다. 앞으로 펼쳐질 대만 생활처럼 말이다. 정말 새롭기만 하다. 가족끼리만 나눌 수 있는 이야기들을 많이 했던 것

가다. 차에서도 배 안에서도 말이다. 역시나 우리 가족이 대만으로 가는 것은 아이들을 위한 결정이었기 때문이라는 것도 다시 한번 되짚어졌다.

여행은 즐거웠다. 첫날 배를 타기 위해서 후포로 오던 중 우리는 영덕에 들렀다. 저녁을 먹을 시간은 아니었지만 영덕에 와서 대게를 나 말고는 경험해보지 못했기 때문이기도 했고 이왕 가족 여행을 온거니 색다른 경험을 해 보는 것도 좋겠다는 생각이었다. 대게 타운에 들어서자 호객이 시작된다. 2 인분에 12 만원이라는 가격표가 여기저기 붙어 있다. 역시나 비싸다. 우리는 공영 주차장에 차를 대고 좌판이 펼쳐진 곳으로 갔다. 호객을 하는 식당보다는 싸긴 했지만 여전히 비싸다. 비싸기도 했거니와 배가 고프지 않아서 우리는 맛배기로 8 만원어치를 샀다. 대게는 좀 작았고 다리가 한 두개 없는 놈 세 마리와 서비스로 받은 홍게 두 마리였다. 식당으로 안내를 받아서 찜값과 상차림 값을 내긴 했지만 나름 괜찮은 선택이었던 것 같다. 왜냐하면 2 박 3 일 내내 울릉도에서는 불친절함과 바가지로 기분이 별로 좋지 않았기 때문이다. 만오천원이나 했던 칼국수는 맛이 없지는 않았으나 양이 적었고 불친절하기 그지 없었으며 돈은 돈대로 받으면서 모든게 셀프 서비스다. 인건비를 줄이고 가격을 싸게 하기 위해서 하는 셀프 서비스가 아니라 바가지 상술에 더해진 셀프서비스였다. 여름 한때 장사라면 이해할만도 했을텐데 여기는 사시사철 여행객이 꽤 될 것 같은데도 말이다. 프랑스에 살 때가 생각이 났다. 프랑스에서는 골프장을 가도 일반 레스토랑과 같은 가격에 음식을 맛볼 수 있었고 어디를 가도 바가지를 쓴다는 생각이 없었는데 우리나라는 달라도 너무나 다르다. 독도새우는 말만 들어봤는데 원래 씨알이 작은 독도새우는 저걸 저 값을 내고 먹어야 하나? 하는 생각까지 들게 했다. 그나마 둘째날 저녁에 찾은 기사 식당이 꽤나 기분 좋게 해 주시고 맛있는 음식을 해 주셨다. 유일하게 칭찬하고픈 식당이었다. 우리가 아는 기사식당은 아니고 이곳 울릉도에서 일하시는 분들이 계약을 해 놓고 식사를 하는 그런 곳이었다. 친절하고 맛있고 서비스 좋고 뭐 그랬다.

가족들과 함께해서 좋았고 운이 좋아야 밟아볼 수 있다는 독도도 밟아봤다. 파도가 높고 출발 전후로 비가 많이 와서 걱정을 하긴 했지만 기분 좋은 독도 방문까지도 너무 좋았다. 독도를 갈 때는 쾌속선을 탔는데 크루즈에 비해 엄청난 파도의 힘을 느낄 수 있었다. 반드시 멀미약을 가지고 가야 한다. 울릉도 어느 약국에서 멀미약을 달라고 했더니 조제한 약을 줬는데 엄청 졸리기는 했으나 효과는 만점이었다. 어느 아주머니가 거의 돌아가실 듯 힘든 머리를 하는 걸 보면서 멀미약 먹기를 잘했다고 생각했더랬다.

OOOoooOOO

처가 식구들과는 젊을 때 주로 여행을 다녔다. 처음 결혼을 했을 때 처남이 고등학교 3 학년이었으니 내가 모시고 다닐 일이 더 많지 않았나 싶다. 하지만 사실 가족들과 함께 여행을 다닌 경우는 그리 많지 않았던 것은 사실이다. 그래서 처가식구들과 다녔던 여행 기억이 더 많이 남아 있는지도 몰랐다. 한가지 특별히 기억에 남는 여행의 기억이 있다. 처남이 UDT 로 군생활을 했는데 가족 모두가 면회를 갔었던 기억이다. 여러 대의 차를 가져가는 것보다 차 한대로 이동을 하자고 아버님 회사에서 이스타나라를 차를 가지고 오셨다. 처가집 식구와 당시 우리 가족 셋이 함께 타고 진해로 가서 처남을 픽업해 부산으로 다녀오는 여행 일정이었다. 이 여행에서 가장 기억에 남는 것은 UDT 면회실도 아니고 산책을 즐겼던 부산의 바닷가도 아니었다.

그것은 바로 자동차, 이스타나였다. 이스타나는 지금의 스타리아 정도 되는 승합차량이었고 쌍용 자동차에서 생산을 했다. 지금은 생산을 하진 않지만 말이다. 그게 중요한 것이 아니라 문제는 차의 상태였다. 차가 공장 내부에서만 운행을 했던 차라는 것이다. 총 주행거리가 길지도 않았고 차량의 상태는 깔끔했다. 물론 구내에서만 사용을 하던 차량이다보니 옵션은 민망할 정도였다. 시트가 거짓말 조금 보태서 옛날 초등학교 의자 같다고나 할까? 더욱 문제는 아무리 엑셀을 밟아도 속도가 너무 안났다는 것이다. 생각해보니 공장 구내에서 사용을 했던 차량이다보니 빨라야

30km/h 정도로 밖에 달리지 않았을 것이다. 그러다보니 여행을 떠나는 그날 이 차는 처음으로 고속도로를 달려보게 되는 것이다. 엑셀을 밟으면 소리가 커지면서 RPM 도 올라가고 속도도 올라가야 하는데 이 차는 소리만 커진다. 속도는 정말 천천히 60km/h 한참을 지나야 80km/h 였다. 고속도로에서 맨 우측 차선에서 한시간 정도를 고 알피엠으로 달리고 나서야 차는 가속을 받기 시작했다. 하도 저속에서만 운행하던 차라서 변속이 늦어서 그랬던 듯 싶다. 아버님과 내가 번갈아가며 운전을 했는데 정말 여행 자체보다도 차가 꽤나 기억에 남았던 여행이었다.

정말 마지막

내일은 내가 속한 조직에서 송별회를 해 준다고 한다. 송별회를 하면 다음날이 정말 마지막 날이다. 1996 년부터 지금까지 직장생활 28 년 중에서 지금의 회사에서 15 년 3 개월을 일을 하고 드디어 떠나게 된다. 노트북 반납을 하고 ID 카드만 반납하면 영영 이별이다.

그런데 서운한게 한 두가지가 아니다. 나름 직장생활을 하면서 남들에게 부끄러운 짓을 하지 않았고 내 맡은 역할 내에서 최선을 다 했다고 자부를 한다. 능력이 부족했을 수도 있고 정치력이 부족할 수는 있겠지만 맡은 일은 완수하면서 지금까지 살아왔다. 이제 나이도 들만큼 들었고 회사에서 더이상 올라가야 얼마 올라가지도 못할 것을 안다. 그래도 내 자리에서 최선을 다 해왔다. 소프트웨어 개발실을 만들 예정이고 그 조직의 실장으로 내정까지 되어 있었다. 무려 1 년 동안 나는 사람들의 소문에서는 이미 실장이었다. 그것이 못마땅해서 나하고는 인사도 하지 않고 회의실에도 들어오지 않는 친구도 있었다. 소문은 실장인데 또 다른 소문은 적합한 인물이 아니라는 소문도 돌았다. 계열사에서 경험은 있지만 우리 회사에서 팀장도 안해본 사람을 실장으로 앉히는 것이 못마땅하다는 것이다. 그래도 학부와 대학원에서 소프트웨어를 전공했고, 현재 개발 업무는 하고 있지 않지만 혼자서 취미로 프로그램도 개발을 할 만큼 소프트웨어는 내가 하고 싶은 일이기도 하다. 우리 회사보다 한발짝

앞선 곳에서 일도 했었고, 나름 공부를 한 것이 있고 내 소신도 있다. 이런 상황속에서 나름 내일을 준비하고 있었다.

그런데 아이들의 교육 문제가 내 발목을 잡았다. 큰 놈과 같이 내가 원하는 환경에서 아이들을 교육시키고 그리고 어렵지 않게 대학을 보내고 싶었다. 오랜 시도 끝에 이 회사에서는 실패를 했지만 다른 길이 열렸다. 그래서 어렵지만 떠나게 된 것이다. 나름 내 속마음을 모두 보여줬다고 생각했다. 결단을 내려 나를 바로 실장에 앉혀주길 바랬다. 6 개월이 지나고 1 년이 지나도 소문만 무성한 곳에서 약간은 짜증이 나기도 했다. 그래도 내일은 좋은 일이 있을 것이고 내 소신을 펼칠 기회가 있으리라 생각을 하고 있었지만 아이들이 내 발목을 잡았다.

나와 꽤 오랜 시간을 일을 했다면 나에 대해서 알만큼 알 것이라고 생각했는데 그건 내 오산이었다. 나만의 믿음이었고 나만의 로맨스였던것 같다. 다른 사람들처럼 거짓말로 해외로 나간다고 하고 국내 다른 회사로 옮기는 줄 알았던 모양이다. 내 주변사람들에게 정말 해외 나가는 것이 맞느냐고 묻고 다녔다고 한다. 퇴직 면담이나 인사를 하러 가면 채 5 분도 얘기를 하지 않았던 이유가 바로 의심이 있었기 때문이다. 그리고 더불어 본인들을 배신하고 떠나는 난 나쁜놈이기 때문이 아니었을까 싶다.

계열사에서 이곳으로 올때, 내가 사람들에게 하고 다녔던 얘기는 그곳에 있다보면 명퇴를 당할 것이 무서워서 이곳으로 옮긴다고 했다. 계열사에서는 그럴 일이 없다고 했었는데도 말이다. 물론 나

스스로도 쉽게 물러날 만큼 일을 못했던 것도 아니기 때문에 어디에서든 내 역할을 할 수 있다는 건방진 생각을 하고 있다.

내가 옮긴 이유는 나를 인정해 주는 사람과 일을 하고 싶었다는 것이 가장 컸다. 그만큼 서로의 믿음이 있다고 생각을 했다. 어떤 교감 같은 것이 있지 않을까 너무 큰 오해를 했던 것 같다. 퇴직 인사를 하면서도 가끔 뵙기를 원한다는 얘기를 하고 싶었다. 두 달에 한번씩은 한국에 2 박 3 일이라도 들어올 생각이었기 때문이다. 짧은 한국 방문 동안 그래도 들릴 요량이었다. 그런데 짬을 낼 필요가 없게 생겼다. 이렇게 서운한 감정이 들 것이라고 미처 생각하지 못했었는데 정말 아쉽다.

이런저런 생각으로 짜증이 나서 멍하니 앉아있는 나에게 이삿짐 정리를 하던 호짱이 '샴페인을 어떻게 할까?' 하고 물어봤다. 우리가 아는 그런 샴페인이 아니라 프랑스 상피뉴 지역에서 만든 스파클링 와인 샴페인이다. 일반적으로 발포성 와인을 샴페인이라고 부르지만 프랑스 혹은 유럽 내에서는 그렇지 않다. 반드시 따르고 있는 것은 아니라지만 상피뉴 지역에서 만든 스파클링 와인만을 샴페인이라고 유럽에서는 부른다고 한다. 찾아보니 전세계 샴페인의 상위 5% 안에 드는 와인이라고 하니 좋은 와인인 듯 싶다. 생각 같아선 사업부장 영전 선물로 미리 주고 싶지만 서운한 마음이 크다. 내일 송별회에서 나를 위해서 마셔보겠다고 생각했다. 8 년 전 쯤에 호짱이 상피뉴 가서 구매해 온 샴페인인데 아직도 내용물이 건재할 것인가는 열어보면 알 일이다.

대충 눈치는 채고 있었다. 앞에 있는 동료와 팀장이 뭔가 준비를 하는 걸 말이다. 작은 퇴사 선물 정도로만 생각했다. 우린 노량진 수산 시장에서 내 송별회를 하기로 했다. 오염수가 방류 되기 때문에 킹크랩이 저렴하다고 했기 때문이다. 그런데 벌써 소문이 많이 퍼졌는지 가격이 며칠새 많이 올랐다고 한다. 우리는 미식가라기 보다는 한정된 예산에서 좋은 안주가 필요했다. 우리가 자주가던 사무실 근처의 횟집으로 장소를 변경하고 퇴근 시간이 되자마자 모두 모였다. 가지고간 샴페인을 식전주로 마셨다. 10 분 정도가 지나자 모두 자리에 모여서 이런 저런 얘기를 시작할 무렵 주섬주섬 뭔가를 챙기는 동료. 팀원들이 의견을 모아 감사패를 준비했다고 한다. 회사차원이 아니라 팀에서 주는 감사패! 예전에 독일에서 귀임할 때 받았던 감사패가 갑자기 생각났다. 가슴이 뭉클하다고 해야 할까? 마음을 담아 주시는 선물을 너무나도 고맙게 받아 들었다. 잊지 못할 또 하나의 기억이 될 것이다. 높은 분들는 서운함을 느꼈다고 난 얘기했다. 그렇지만 나중에 연락하면 풀어질 수도 있다는 얘기를 내 입으로도 하면서 감사의 인사를 했다. 팀원들의 이름이 모두 새겨져 있어서 더 좋았다. 2 차를 가자는 것을 뿌리치고 난 집으로 왔다. 생각처럼 몸이 따라주지 않는다. 팀에 형님들도 계시지만 서두러 자리를 떴다. 술도 먹었겠다. 대리운전을 불러서 집으로 갈까 하다가 그냥 지하철을 타고 집으로 갔다.

다음날 평상시처럼 사무실에 도착을 했다. 어제 과음들을 하셨나 싶다. 몰골이 말이 아니다.

ㅇㅇㅇoooㅇㅇㅇ

1996 년 첫 회사 입사, 2003 년께 첫 회사 퇴사 그리고 두번째는 헤드헌터를 통해서 작은 회사에 연구소장으로 입사, 자금난 겪던 회사로 휘청해 급여도 제대로 받지 못하다가 전문연구요원을 간신히 마치고 되는대로 국책과제 맡아달라는 업체에 입사, 다시 헤드헌터를 통해 분당의 모 중소기업입사 4 년 동안 잘 근무하다가 2008 년 대기업 입성 그리고 퇴사까지.......

거쳐온 회사는 많았지만 마지막 회식의 기억보다는 같이 일하던 친구의 퇴사 면담들이 더 기억에 남는다. 면담이라기보다는 퇴사 통보를 받고나서 의례껏 하게 되는 면담이다. 면담에서 퇴사가 취소된 경우는 아얘 없다고 봐도 무방했다. 이미 입사할 곳이 정해진 후에 이루어지는 퇴사 통보이기 때문이다. 한번은 옆 팀에서 퇴사하려던 친구가 남아 있기로 했다는 얘길 들은 기억이 있기는 하다. 하지만 이런 경우는 특별한 경우라고 할 수 있다. 가려던 회사의 조건에 맞춰 주었던가 원하던 업무로의 변경 또는 주재원

같은 조건이 붙는 경우다. 극히 드문 케이스, 능력이 좋은 것과 함께 회사 높은 분들의 입김이 있어야 한다.

가끔 TV 프로그램에서 혹은 유튜브에서 그리고 자기 계발서에서 퇴사면담에 대한 조언들은 내 기억엔 별다른 효과가 없었다. 그동안 수고했다. 어디로 가든지 잘 살기 바란다. 인수인계는 누구에게 해 줘라. 그러고 나서 기회가 된다면 환송회를 해 주는 정도였다. 아무리 고맙다고 하고 기분 좋게 헤어졌다고 해도 그 이후에 연락이 온 경우도 없다. SNS 에서 안부 정도 물을 수 있는 정도라면 아주 가까웠던 사이가 아닐까?

어느 퇴근길

지하철 역에서 집으로 향하고 있다. 두 정거장이라 버스를 탈까 말까 잠시 망설이다가 골목으로 들어섰다. 1985 년부터 중학교를 가기 위해서 등교시간에 항상 지나치던 곳이다. 우리 아파트 주소지는 청구동이다. 푸른 언덕이라는 의미로 약간 오르막이다. 한겨울 그땐 눈이 많이 왔었는데 언덕길이다보니 내려오는 사람들이 특히 종종걸음으로 내려오곤 했다. 개중에는 엉덩방아를 찧는 사람을 등교길에 보기도 했었고 언덕길에서 썰매를 타기도 했다. 연탄재를 뿌리는 어른들이 야속했던 나이때의 기억이다. 전에 사거리의 이름은 문화동 사거리였다. 사거리이름을 따서인지 전에 있던 재래시장의 이름은 문화시장이었더랬다. 지금은 5 호선과 6 호선 청구역이 있어 청구역 사거리로 통용된다. 오랜 시간이 지나긴 했지만 지금도 그 흔적들이 남아있다. 문화쌀상회라는 이름이 먼저 눈에 띈다. 물론 지금은 쌀을 마트에서 사다먹지만 예전에는 쌀만 파는 쌀가게가 있었다. 그리고 그시절 아주 작은 가게에서 담배를 팔던집이 있었다. 할머니께서 벽에 기대어 앉아 계시면 남는 공간없이 겨우 담배 진열대가 있었다. 그 가게가 지금도 남아있다. 지난 여름에도 담배를 팔던 할머니가 계셨다. 그때 그 할머니는 아니시겠지만 여전히 담배를 팔았다. 그런데 최근들어 가게문을 열지 않는다. 안이 비춰보일까 살펴봐도 아무것도 보이지 않는다. 세월을 이길 장사는 없다지만 잠시 쉬시는 것이었으면 좋겠다. 거진 아파트로 올라오면 다양한 곡식이나 채소를 파는 상점이 보인다. 아주머니가 상당히 낯이 익다. 내 기억이 맞다면 내가 다니던 초등학교 앞에서 문방구를 하시던 분이다. 여쭤보지는 않았지만 내 기억이 맞을꺼다. 연세가 있어 주름은 깊어졌지만 예전 모습그대로시다.

장복을 하는 약이 여태껏 없었다. 호짱은 약 같은 걸 챙겨주는 스타일도 아니고 나도 영양보조제 같은걸 챙겨 먹지 않으니 비타민 같은게 있어도 어딘가 굴러다니다 쓰레기통으로 가기 일쑤 였다. 언제부턴가 장이 좋지 않아서 챙겨먹게 된 프로바이오틱스로 인해서 그리고 때마침 약국을 하시는 처 이모님께서 얼마전에 주신 비타민을 요즘엔 챙겨먹고 있었다.

흐르는 시간을 이길 순 없는 것인지 요즘들어 챙겨먹어야 하는 약이 늘었다. 먼저 고혈압 약이다. 언제 높아졌는지 머리가 아파서 의무실에 갔다. 회시 상주 간호가가 약을 주다말고 나이를 묻더니 혈압을 재고 내 건강검진 기록을 살펴본다. 나이가 많다고 했다. 관리를 해야한다고도 했다. 혈압이 높고 당뇨도 조심해야한다고 했다. 특히 혈압은 약을 먹을 것을 강력히 추천을 받았다. 약간 혈압이 높은 것은 알고 있었지만 약까지 먹여야 한다고 하니 챙겨먹긴 해야겠다 싶었다. 회사에서 퇴사 전날까지는 의료비 지원이 된다고 하니 약을 미리 받아서 퇴사를 해야겠다.

ＯＯＯｏｏｏＯＯＯ

프랑스에서 일을 하게 된다. 이국에서 일을 하게 된다. 나 말고 같이 일을 하는 친구들은 모두 프랑스인이다. 우리 회사도 그랬도 고객사도 그랬다. 서양식, 웨스턴 스타일로 업무를 보게 되는 것이다. 한국에서 내 업무 스타일을 스스로는 가족이 우선이라고 속으로 외치곤 했었지만 내가 일을 하는 스타일은 정반대가 아니었나 싶다. 어느 연말, 회사에서 주말근무 1 등으로 선정되기도 했으니 말이다. 일을 찾아서 하는 조금은 피곤한 스타일이 아니었었나 싶다. 그런데 외쿡으로 간다. 앞으로는 저녁이 있는 삶을 살 수 있을 것 같았다. 나보다도 호짱이 좋아했다. 사실 저녁이 있는 삶에 대해서 그리 동경을 하진 않았지만 호짱의 호들갑에 나도 저녁이 있는 삶이 되면 무엇을 할까 고민을 하기도 했었다.

난 100 일 넘게 출장으로 이미 프랑스에 들어와 있었다. 그리고 새 학기가 시작되기 직전에서야 가족들이 들어왔다. 그때까지만 해도 우리 가족들은 5 시에 퇴근해서 아빠가 6 시 이전에 집에 들어오는 것을 꿈꾸고 있었다. 웨스턴스타일로 말이다. 하지만 그런 꿈에서 깨는데는 채 일주일이 걸리지 않았다. 고객사와의 업무는 당연히 일찍 끝이 났다. 한국과 프랑스는 8 시간 차이가 난다. 프랑스 오전 9 시가 한국은 이미 4 시 또는 섬머타임이 시작되면 5 시이기 때문에 한국이 퇴근하고 나면 난 자유스럽게 시간에 맞춰 퇴근을 해서 가족들과 저녁이 있는 시간을 보낼 수 있다는게 우리의 계산이었던게다.

그런데 실상은 출장자가 너무 많았다. 그 중에서도 높은 분들이 출장을 오게 되면 반드시 다음날 고객과 미팅이 있었다. 상무급이 프랑스에 도착하는 시간은 저녁 6 시 30 분, 공항에 마중을 나가야한다. 막히는 도로를 뚫고서 말이다. 고객사 앞 우리 사무실에서 공항까지는 계산상 한시간에서 한시간 반이면 갈 수 있는 거리지만 파리의 교통지옥 때문에 4 시에는 늦어도 출발을 한다. 교통이 원할하면 공항근처 법인에 잠시들어가 있기도 한다. 임원이 공항 출구로 나오면 캐리어를 받아들여야 한다. 저녁시간에 도착이니 저녁을 같이 한다. 현지식은 거의 가본 경험이 없다. 무조건 한식이다. 한식당에 같이가서 식사를 한다. 식사를 마치면 시간은 이미 9 시가 다 되어간다. 다시 우리 사무실로가서 다음날 있을 자료를 리뷰한다. 이런 저런 코멘트를 받아서 같이 출장온 사람들은 자료 수정을 시작한다. 난 임원을 호텔에 데리고가 체크인을 해 준다. 사장급이 오면 사전에 체크인을 미리 해 두기도 한다. 다시 사무실로 돌아와 같이 자료 수정을 한다. 사무실에서 하기 싫다고 하면 호텔로 같이 가서 자료를 수정한다. 일찍 끝나면 자정 이전인 경우도 있고 그렇지 않은 경우도 있다. 그리고 나서야 퇴근이다.

다음날은 출근을 호텔로 한다. 임원에 따라서는 같이 식사를 하자는 사람이 있다. 호텔 조식 시간에 맞춰서 오란 얘기다. 그리고 보통 고객사로 가서 미팅을 한다. 미팅을 하고나면 보통 점심시간이다. 모시고 나가서 현지식으로 식사를 한다. 가시 방석이 따로 없다. 시간이 나면 관광타임, 저녁 비행기를 타기 전까지 같이 놀아줘야한다. 그래서 내 나름대로의 관광코스를 짜 놓기도 했다. 매번 같은 임원이 오면 모르겠는데 프랑스에 주재원이 나 혼자이다보니 출장을 오는 모든 임원급을 내가 맡아야 했다. 한시간짜리 관광 코스는 에펠탑 정도를 돌아보는 것이다. 에펠탑 주변을 차로 한바퀴 돌아주고 센느강 건너 샤요궁으로 간다. 샤요궁이 에펠탑 사진이 잘 나오는 포인트기 때문이다. 노상주차장이 있지만 유명한 관광지이다보니 거의 주차 불가, 임원을 샤요궁 앞에 내려주며 셀피 포인트를 알려주며 가셔서 사진 찍고 다시 돌아오라고 얘기를 한다. 그러면 나는 회전교차로를 하염없이 돌아야한다. 경찰들이 많아서 불법 주차를 할 수도 없기 때문이다. 그렇게 회전교차로를 돌다가 이쪽으로 사진을 찍고 돌아오는 모습이 보이면 픽업을 한다.

시간이 된다면 다음 코스, 샹젤리제 거리다. 개선문을 중심으로 12 갈래 길이 있는 회전 교차로가 유명하기도 하다. 회전 교차로를 두 번쯤 돌면 기겁을 한다. 차들이 회전 교차로를 도는 것을 한국

사람의 입장에서는 규칙 없이 돌고 있는 것 처럼 보여 무서운 모양이다. 그렇게 돌고서는 샹젤리제 거리로 들어간다. 개선문에서 샹젤리제 거리로 들어서자마자 첫번째 횡단보도의 중간이 내가 제일로 꼽는 포토존이다. 건널목 앞에서 차를 세우고 얘기한다.

"건널목을 건너다 중간에서 멈춰서 다음 신호까지 거기서 개선문을 배경으로 사진을 찍으시고 반다편으로 건너가셔서 기다리시면 됩니다"

난 샹젤리제 거리 끝까지 가서 유턴을 해 돌아오면 된다. 건널목 앞에서 픽업을 하고 다시 개선문이 있는 회전교차로를 돌아 샹젤리제 거리를 천천히 달린다. 만약 점심시간 이전에 여기까지 왔다면 샹젤리제 거리 지하에 있는 주차장에 차를 대고 근처에서 식사를 하기도 하고 명품 거리를 돌기도 한다. 마카롱을 사러가기도한다. 혹시나 출장은 사람이 있을 수 있어 샹젤리제 거리에 24 시간 한다는 약국을 찾아 놓기도 했다.

그래도 시간이 남는다 싶으면 다음으로 향한다. 노틀담성당, 다행이 이곳엔 지하 주차장이 있다. 같이 내려서 사진 찍는 것을 도와주기도 한다. 많아야 여기까지 돌면 공항으로 향하는 것이 일반적이다. 그래도 시간이 남는다면 풍경이 좋은 몽마르뜨 언덕으로 차를 끌고 올라간다. 끝까지 올라갈 수가 있는데 사람이 많을 때는 사람들을 헤치고 차를 몰고 지나가야한다. 그럴 땐 창문을 열고 외쳐준다.

"스미마셍"

파리 시내를 내려다보고 멀리 언덕 아래쪽의 물랑루즈 공연이 있는 쪽도 내려다본다. 한 여름이고 운 좋으면 선탠을 즐기는 여성들 무릴 볼 수도 있다. 풍경을 봤다면 언덕위에 있는 성당을 둘러보기도 한다. 미사를 드리는 모습도 운좋으면 볼 수 있어서 가족들과도 가끔 찾았던 곳이다.

재수 없으면 주말에도 봉사를 해야한다. 몇 번 없기는 했지만 멀리 4 시간 걸려 고성까지 다녀오기도 했고, 하루 종일 루브르 박물관을 포함해서 가이드도 해야했다.

그러니 저녁이 있는 삶, 주말이 있는 삶이란 찾기 어려웠다. 모 임원은 승무원들이 묵는 호텔이고 조식으로 라면을 먹을 수 있다는 이유로 공항 근처에 호텔을 잡는 만행을 저지르기도 한다. 60 여 km 를 달려 공항에서 픽업을 해서 다시 파리 시내로 나와서 한식으로 저녁을 먹는다. 대략 40km 사무실로 들어가 리뷰를 하고 다시 공항 근처 호텔로 가서 내려준다. 80km, 다시 40 여 km 를 달려 퇴근. 다음날 아침 호텔에서 픽업을 해서 고객사에가서 미팅을 한다. 대략 60km, 미팅이 끝나서 관광을 하고 공항에 내려주고 사무실로 돌아오면 대략 140km, 퇴근 25km, 이게 한 사람의 임원때문에 다녔던 최악의 경우다. 이보다는 덜하지만 실장급까지는 서비스를 해 줘야한다. 이렇게 의전이라는 이유로 돌아다니다보니 4 년동안

내차의 운행거리는 거의 20 만 km 에 달했다. 고객사의 친한 친구들이 날 '파리의 택시기사'라고 불렀을만하지 않은가? 이런 모습을 보고 모 사원이 나에게 전화를 하기도 했다. '책임님, 모 팀에서 출장온 모 사원입니다. 저 어느 호텔에 있으니 픽업하러 와 주십쇼' 지금이야 웃으면서 얘기할 수 있지만 고객과 회의 중에 이 전화를 받고 얼마나 황당했었는지 모른다. 알아서 택시타고 오라고 하고 전화를 끊었었다. 그 친구가 누군지 기억이 나진 않지만 그 이후 미안하단 연락을 받지도 못했다. 이래저래 저녁이 있는 삶, 주말이 있는 삶은 없었다.

한국에서의 마지막 날

내일 아침 10 시 비행기로 한국을 드디어 떠난다. 그래서 할 일이 많다. 엊그제 이삿짐을 컨테이너에 실었다. 11 년전 우리의 프랑스 이삿짐을 쌌던 같은 업체다. 해외 이사는 주재원이 많은지 처음 전화를 걸었을 때, 10 년 전쯤 프랑스로 이사를 갔었다고 얘기하니 회사 시스템에 내 정보가 남아 있는지 아는체를 했다. 그래서 호짱은 믿음이 간다고 그 업체에 하자고 했고 역시나 한번 경험했던 업체였는지 아니면 그네들의 상술이었는지 기분 좋게 이삿짐을 쌀 수가 있었다. 견적을 받을 때는 소파도 안가져가는게 좋겠다. 식탁과 의자들은 6 인용이라 부피를 너무 많이 차지한다는 등 짐을 다 싣기 어렵다는 투로 얘기를 했다. 덕분에 이삿짐을 많이 다이어트 할 수가 있었다. 거기에 전문가들이 우리집에 배정이 되었는지 일사천리로 이삿짐을 쌀 수 있었고 컨테이너에 테트리스를 하듯 짐을 잘 챙겨 넣은 덕분에 모든 짐을 싣고 가게 되었다. 덕분에 대만에 가서는 추가로 가구를 사는데 들어갈 비용을 많이 줄일 수 있게 되었다.

남은 것은 비행기로 실어갈 짐이고 오롯이 내가 잘 꾸려야 한다. 일반적으로 부치는짐 하나와 기내용 캐리어 그리고 노트북 가방 정도를 허용해 준다. 그래서 캐리어 네 개, 부치는 짐 4 개와 노트북 가방 4 개가 우리가 가져갈 수 있는 짐이다. 부치는 짐은 무게도 따져야 하지만 크기가 정해져 있다. 최대 크기가 가로 x 세로 x 깊이가 158cm 를 넘으면 안된다고 되어 있다. 적당한 크기의 박스가 없어서 고민이었는데 이사업체에서 박스를 여유있게 줘서 준비는 모두 되었다. 박스를 잘 싸기만 하면 된다. 뭔놈의 짐이 그리 많은지 몇개 되지 않는 박스에 넣는 것이 꽤나 시간이 걸렸다. 더군다나 커다란 짐 하나를 빼 놓은 것을 나중에 알아서 박스 하나를 풀어서 다시 패킹하느라 진땀이 났다.

거기에 아이들 핸드폰을 해지해야 하는데 알뜰폰이라 그런지 방법이 복잡해서 아이들과 호짱은 씨름을 했고 짐을 싸는 것은 오롯이 내 몫이 되었다. 그 뿐인가? 아침에는 이삿짐을 싼 후에 나온 우리들 빨래를 한번은 해서 가야한다고 해서 아침에 호짱을 빨래방에 내려줬고, 난 짐을 싼 후에 여러가지 서류를 준비해 오라는 회사의 연락을 받고 부랴부랴 서류를 뗐다. 영문 졸업 증명서, 경력증명서 마지막으로 국제운전면허증이 필요하다고 했다. 국제운전면허증이 왜 필요한지는 아직 모르겠지만 어쨌거나 필요하다고 하니 여권과 면허증 그리고 사진을 들고 가까운 경찰서로 갔다. 그런데 아뿔싸 사진은 최근 6 개월 이내에 찍은 사진이어야 했다. 나이도 들만큼 들었고 몇 년 지난 사진이라고 해도 크게 바뀐게 없으니 문제가 되지 않을 것이라고 생각했다. 그런데 그건 오산이었다. 왜냐하면 2020 년에 발급받은 여권에 붙어 있는 사진과 같은 사진을 들고 갔던 것이다. 보기 좋게 퇴짜를 맞았는데 뭐라고 할 말이 없었다. 약 5 개월 전에 찍은 사진이 있는 것이 생각났고 그건 동생이 찍어 줬었다. 그래서 동생 집에 가서 프린트를 한다고 이것저것 하고 있었다. 그러다가 여권을 보는데 내 여권 밖에 안

보이는 것이었다. 호짱과 하늘이의 여권이 사라진 것이다. '이건 뭐지?'라는 생각이 들었다. 분명 내 가방에 있었는데 어디갔을까? 차에 떨궜을까? 분명 경찰서에서는 본 기억이 나는데 안보이니 귀신이 곡할 노릇이었다. 지하주차장으로 내려가면서 경찰서에 전화를 걸었다. 면허증을 발급받는 곳으로 전화를 돌리는데 신호만 가다가 끊기기를 서너번 했다. 진땀이 났다. 그 사이 차를 살펴보니 역시나 여권은 없었다. 가까스로 통화를 성공하고 경찰서에 여권이 있음을 확인했다. 천만 다행이었다. 물론 사진만 찍으면 공항에서 임시 여권을 발급 받을 수는 있지만 어디까지나 임시 여권이었다. 우리는 이민을 가는 입장이다보니 여권을 잃어버리면 난감할 수 밖에 없었다. 더군다나 대만은 수교가 된 나라도 아니지 않은가?
다행히 새로 프린트한 사진으로 국제운전면허증을 만들면서 여권을 찾을 수 있었다.

ＯＯＯｏｏｏＯＯＯ

독일에서의 마지막 날이 기억이 난다. 프랑스에서 4 년을 살았음에도 마지막 날은 기억이 나지 않는데 아마도 갑작스런 전화 한통화를 받으면서 시작된 일 때문이었을 것이다. 평상시와 달리 고객사 구매팀 직원들과 점심 약속이 되어 있었다. 무려 4 년이 다

되어서야 우리 회사 영업팀에서 한 사람이 추가로 파견을 나왔다. 그래서 평상시에 없던 이벤트가 생긴 것이다. 고객사 직원을 주차장에서 픽업해서 식당으로 이동을 하기로 되어 있어서 영업 직원과 막 주차장에 들어섰을 때, 부사장님으로 부터 전화를 받았다. 업무 회의나 보고 때 혹은 고객사 미팅에서 뵌 적은 있었지만 이렇게 전화를 받는 것은 처음이었다. 4 년이 다 되어 이젠 한국으로 귀임을 해야 하는데 갑작스레 미안하지만 독일로 가서 1 년을 더 근무해 달라는 취지의 말씀을 해 주셨다. 사실 내가 프랑스에서 근무하는 것이 필요하다면 2 년 연장을 해 달라고 인사팀에 요구를 했었다. 하지만 받아든 피드백은 6 개월만 연장하겠다고 했다. 도대체 6 개월이란 기간은 어디서 온건지 이해가되지 않았다. 조금은 빈정이 상해서 원래 계약을 한 대로 4 년을 마치고 바로 돌아가겠다고 인사팀과 미팅을 한지 얼마 지나지 않았는데 이런 연락을 받은 것이다. 독일로 가서는 유럽 전체의 개발 관련 조직을 맡는 업무를 해야 한다고 했다. 일종의 진급을 포함한 제안이었다. 부사장으로부터의 제안이기도 했고 제안 자체가 나쁜 것이 아니었기 때문에 우선을 알겠다고 했다.

저녁엔 이어지는 가족회의, 우리 가족은 1 년만 있을 수는 없다는 결론이었다. 왜냐하면 장군이가 4 년을 마치고 돌아가면 고등학교 2 학년 2 학기로 복귀해야 했기 때문이다. 고등학교 3 학년 1 학기 마지막 즈음에 대입원서를 넣고 시험을 보는 재외국민특별전형에

응시를 해야 했는데 1 년 정도는 학원을 다니며 준비를 해야 했다. 6 개월 더 있다가는 준비 시기를 놓치게 되는 것이다. 가족회의 끝에 내린 결론은 나를 뺀 가족들은 한국으로 돌아가 장군이의 대입준비를 시키게 하고, 나는 독일로 이동을 해서 1 년을 더 있다가 귀국한다는 것이었다. 아무래도 해외에서의 벌이가 낫기 때문이기도 했지만 제안 자체가 나에겐 매력적이었기 때문이었다.

그렇게 1 년이란 시간을 독일에서 보내게 되었다. 독일에서의 삶은 프랑스에서와 많이 달랐다. 나 혼자라는 것이 그랬다. 그리고 혼자서 살 자신이 없었다. 밥과 빨래 등의 가사 일을 혼자서 해 낼 자신도 없었고 아무런 가재 도구도 가지고 있지 않았다. 집을 얻고 가재도구를 들이기에는 1 년이란 시간은 너무 짧다. 프랑스에서 가전제품을 가지고 이동할 것도 없었다. 최근 제품들은 헤르쯔가 달라도 사용할 수 있다고 해서 가전 제품은 모두 가족들이 가지고 가기로 했다.

이런 저런 고민을 할 사이도 없이 독일로 인수인계를 받으러 들어오라는 연락을 받고 부랴부랴 가방하나를 챙겨 들어갔다. 인수인계를 받고 사람들과 인사를 하느라 정신이 없었다. 독일은 파독광부와 간호사로 한국인들에겐 유명하다. 그만큼 유럽 내에서 가장 많은 한국인이사는 곳이기도 하다. 그 중에서 프랑크푸르트는 제일 한국 사람이 많은 도시라고 했다. 그래서인지 점심은 대부분 한식당을 가게 되었다. 물론 인근에 칸틴이라고 불리우는 구내식당들이 있었지만 우리는 한식당을 갔다. 왜냐하면 점심 메뉴는 10 유로로 일원화 되어있었기 때문에 칸틴과 별반 차이가 나지 않았기 때문이었다. 저녁에는 거의 두 배로 올라갔지만 점심은 10 유로에 먹을 수 있었다. 평상시와 다르게 그날은 조금 늦은 점심을 먹으러 가게 되었다. 호텔과 한식당을 함께하는 곳으로 가야라는 식당이었다.

여기서 인연이 시작되었다. 도착해서 음식을 주문하려고 하는데 주인이 바뀐 모양이다. 원래는 노부부가 운영을 하셨는데 주문을 받으시는 사장님은 덩치가 큰 젊은 분이었다. 여기서 딜이 성사되었다. 호텔에서 장기 투숙을 하는 것으로 아침과 저녁, 빨래를 해 주시는 조건이었다. 너무 잘 해 주셨기 때문에 우리는 거의 가족이나 마찬가지가 아니었나 싶다. 아이들에게 가끔 용돈도 주고, 출장을 갈 때면 짐을 꾸려 싸놓고 손님이 오면 내 방에 손님을 받으라고 하기도 했었다. 가족만큼이나 가까워졌었다. 떠날 때는 온 가족들과 일하시는 분들과 함께 송별회를 해 주시기도 했다.

그리고 마지막 날, 내가 떠나는 날은 참 조촐한 짐을 가지고 공항으로 나갔다. 내 짐은 수하물로 부칠 7 개의 박스와 기내 캐리어 그리고 노트북 가방이 전부였다. 주재원이 귀임을 하게 되면 이사비용이 모두 회사에서 나오는데 그것 보다는 비행기 화물로 가는 것이 훨씬 저렴하다는 내 계산으로 짐을 가져가기로 했던 것이다. 지금도 생각이 난다. 사무실의 내 방 한켠에 쌓여 있었던

7 개의 박스들이 말이다.

쉼 없이 달리기도 해야 한다.

미친듯이 달리기도 해야 한다.

첫 출근

근무시간이 8 시에서 5 시라고 했다. 지난번 방문에서 교통체증이 심한 것을 확인한터라 7 시에 출발을 하려고 우버로 예약 호출을 걸어뒀다. 예상 도착시간은 7 시 11 분. 반대 차선은 벌써 차가 많은데 이쪽은 차가 많이 보이지는 않는다. 다행이다. 사방 팔방을 오토바이가 둘러싸고 있는 것으로 봐서 출근 전쟁은 이미 시작이다. 우버가 좁은 길로 안내를 시작했다. 아마도 막히지 않는 도로를 선택한 모양이다. 차 앞에는 수십여대의 오토바이가 우리를 안내하는 것 같다. 출발할 때 도착 예정시간은 7 시 11 분이었는데 점점 시간이 늘어지기 시작한다. 7 시 15 분, 비 예보가 없어서 우산을 준비하지 않았는데 앞 유리창에 빗방울이 비친다. 우산을 쓴 사람이 없는걸로 봐서 잠시 이슬비가 내리는 것 같다. 자동차는 서 있어도 도로 우측으로 오토바이들은 달린다. 아무래도 오토바이가 더 빠른 교통수단인 듯 싶다. 그래서 오토바이가 많은가보다.

다행히도 더이상 지체되지 않고 회사에 도착을 했다. 역시나 말이 통하지 않아 회사 입구에서 구글 번역기를 써야했다. 첫 출근이라고 말이다. 그제서야 알았다고 했고 VIP 출입카드를 받았다. VIP 카드라서 살짝 이상한 느낌을 받긴 했으나 주는대로 받아들고 로비에 앉았다. 누군가 나를 픽업해서 사무실로 올라가야 한다고 했기 때문이다. 로비에 앉아서 스마트폰으로 이렇게 글을 쓰고 있는데 정문에서 만났던 친구가 오더니 내 중국이름을 묻는다. 난 중국이름이 없다고 하고 영어 이름을 알려주니 그제서야 알았다고 한다. 그러곤 부리나케 직원용 임시 아이디카드를 가져다 주었다. 제리와 하늘이도 호짱과 함께 우버를 탔다고 했다. 학교에 잘 도착했을까? 벌써부터 걱정이 된다. 막 우버를 탔을때 카톡을 주고 받았다. 긴장하지 말라고 했다. 8 학년에서 임시로 공부를 하게되는 하늘이가 특히 걱정스러웠다. 7 학년으로 추천을 받았지만 기회를 달라고 한건 나였으니 말이다. 잘 적응하면 좋겠건만 안되면 7 학년으로 다니면 된다. 마음을 좀 내려 놓았다 3 년이 아니라 3 년 반이나 4 년을 여기에 있으면 되기 때문이다.

호짱도 걱정스러운건 마찬가지다. 오늘 아침에도 팔이 잔뜩 부어 있었다. 어제 피곤해서 그랬는지 감고 자야할 붕대를 팔에 감지 않았다고 했다. 영어도 서툰데다 호짱이나 나나 중국어는 전혀 하지 못하기 때문이다. 어제 우버를 사용하는걸 보여주긴 했어도 걱정이 이만저만 아니다. 그래도 용기가 있어 다행이기는하다. 유방암 수술을 하면서 림프절을 몇 개 제거했는데 그에 따른 후유증으로 부종이 생겨 치료 중이다.

벌써 5 분전 8 시다. 왜 픽업하러 안 오는건지? 출근하는 친구들은 많은데 말이다. 회사는 젊고 여직원 비율이 높아 보인다. 복장은 자유롭다. 내가 싫어하는 반바지는 없다. 한여름엔 어쩔지 몰라도 말이다. 양복은 나 하나다. 첫날이니 예의는 지켜줘야겠다 싶어 입었다. 물론 내일부터는 자켓만 캐주얼하게 바꿀 생각이긴하다.

첫날은 우버를 타고 출근을 했다. 미리 우버를 예약할 수 있는지 처음 알았다. 유럽에 출장가서나 타던 우버를 출퇴근용으로 탔다. 가격은 일반 택시대비 싼건 아니었지만 정해진 시간에 탈 수 있어서 편리하다고 생각했다. 퇴근은 우버로 하려고 했는데 나 말고 세 분 더 있다는 한국분이 태워주셔서 편하게 집으로 왔다. 물론 첫 날이라 알게 모르게 몸은 천근만근이었지만 말이다. 둘째날은 걷고 싶었다. 뚜버기라는 별명을 가지고 있을만큼 걷는걸 좋아하기 때문이었다. 집에서 나설 때 스마트 폰에서는 날씨가 괜찮았다 17 도 정도면 딱 걷기 좋은 날씨였다. 아침에 일어나면 항상 뜨거운 물어 샤워를 하는 습관 때문이었을까? 날씨가 꽤나 덥다고 느꼈다. 내 몸이 날씨에 적응을 못하고 있다고 생각했다. 회사까지는 2.8km 로 걸어서 40 분 정도 되는 거리다. 공원을 지날 때는 텔레비젼에서나 보던 태극권을 하는 어르신들의 무리도 보였고 등교하는 꼬맹이들 조깅하는 아재들도 보였다. 17 도인데 셔츠에 땀이 배어나온다. 덥다. 내 몸이 이렇게 적응을 못한다니 나이를 먹긴 먹었다. 사무실에 도착해보니 4 천보도 채 안되는 거리였다.

점심은 또 다른 한국분 제임스와 함께 했다. 회사 주변에 한식당이 있을 것이라고는 상상 못했는데 여기도 한식이 있었다. 하지만 대만 사람들이 경영을 하는터라 그리고 우리네 분식집 처럼 종이에 색연필로 체크해서 주문하는 방식이다보니 혼자서 식사하기는 어렵겠다 생각했다. 밥을 먹으면서 이런 저런 얘기를 하다가 아침에 출근을 걸어서 했다는 말까지 나왔다. 17 도 정도라 걷기 좋을 것 같아서 걸어왔다고 하니 그럴리가 없다는 것이었다. 30 도 가깝다고 했다. 내 스마트폰의 날씨 앱이 이상하다는 생각이 들어 스마트폰을 보니, 아뿔싸 지역이 서울로 되어 있었다. 분명 여기와서 세팅을 했는데 지역 선택이 잘못되어 있었다. 당연히 GPS 로 위치를 잡아 내가 있는 곳이라고 추측한 내 잘못이었던 것이다.

세번째 되던 날은 전날의 교훈을 반면교사 삼아 우버를 7 시에 예약을 했다. 아이들 스쿨버스가 오는 시간이다. 스쿨버스는 벌써 와 있었다. 스쿨버스라기 보다는 밴이었다. 우리 아파트에서만 우리 아이들 둘을 포한해서 네 명이 탄다. 집앞에서 픽업해주고 저녁때도 그 자리에 내려주니 좋다. 다만 한국서 타는 학원 버스 같아서 아이들이 어떻게 느낄까 하는 생각이 들긴 했다. 아이들을 실은 밴이 떠난 시간은 7 시 정각이었다. 우버는 6 분이 남았다고 앱에 나와 있었다. 2.5km 거리에 있다고 했다. 그런데 앱에는 남은 시간은 계속 6 분이고 거리는 줄어들지 않고 있었다. 기사로 부터 메시지가 왔다. 한국서 쓰던 폰에서는 자동 번역을 해서 보여줬는데 이 폰은 세팅을 다시해야겠다. 한문만 보인다. 복사를 해서 번역기를 돌려보니 차가 막힌단다. 남은 시간은 계속 6 분, 3 분 이상 지난 것 같은데 거리는 줄어들지 않고 시간도 그대로다. 취소를 하고 다른 우버를 부르면 좀 나을까 하는 생각을 몇 번이나 했는지 모른다. 그냥 걸어가도 되겠다 싶었지만 땀 흘리기는 싫었다. 취소를 하면 바로 다른 우버가 있을까? 기다리고 기다렸다. 일찍 도착해서 중국어 공부를 해야하는데 이미 시간이 늦었다. 어차피 지금은 한자를 써보는 중국어 자습이라

상관은 없지만 말이다. 결국 차는 7 시 32 분에 도착을 했다. 영어를 할 줄 아냐고 물어보고 따지고 싶지도 않았다. 역시나 차는 많이 막힌다. 도로에 오토바이 천국이다.

우버는 나쁜 선택지는 아니었다. 짧게는 3 분 길게는 지난번 처럼 30 분을 기다리기도 했지만 과연 나에게 차가 꼭 필요할까 하는 의문을 갖기 시작했다. 이유는 부사장과의 첫 만남에 키가 있다. 인수하려는 독일 회사가 있는데 거기로 가서 근무를 할 수도 있다고 했기 때문이었다

OOOoooOOO

프랑스에서의 첫 출근은 고객사 사무실이었다. 사실 우리 사업부에서 내가 처음으로 프랑스에 자리를 잡은 것이라 내가 일을 할 수 있는 사무실은 없었다. 물론 법인에 사무실이 있긴 했지만 거기는 고객사와 정반대 방향에 있어서 일을 하러 간다기 보다는 비용 처리와 같은 부가적인 업무를 위해서 가는 곳이었다. 거리가 60km, 교통지옥 파리를 거쳐가야 하기에 자주 간다는 것은 상상하기도 싫었다. 차를 끌고 도착한 곳은 고객사 방문 주차장, 미리 고객사의 프로젝트 리더에게 메일을 보내서 방문등록을 해 달라고 요청을 해 놨었다. 방문 주차장에서 다시 정문으로 와서 방문자

아이디카드를 받아서 비지니스 센터로 간다. 외부 손님들이 많은터라 비지니스 센터라는 곳이 몇 군데 있는데 거기에서 빈 자리를 차지하고 일을 할 수 있다. 거기서 무작정 내 업무를 보다가 필요하면 고객과 미팅을 하는 그런 일과가 계속 되는 것이다. 낯선 고객사에서 미팅이 있을 때면 회의실을 찾아가는 것은 정말 어려운 일이었다. 구석 구석에 박혀 있는 회의실을 찾는 것도 어려웠을 뿐만 아니라 난 그 회사의 방문객이었을 뿐이다. 그래서 방문객 아이디카드로는 들어갈 수 있는 곳이 사실은 없었다. 받은 아이디카드는 방문객 센터에서 메인 건물로 들어오는 딱 한군데에서만 동작하는 카드이고 이 카드를 가진 사람은 방문객이라는 표시를 하기 위한 것이었지 건물 내를 마음대로 돌아다닐 수가 없었던 것이다. 그래서 미팅이 있기 최소 10 분전에는 미팅룸을 찾아서 헤메야 했다. 누군가가 들어가거나 나올 때, 나는 따라서 들어갈 수 밖에 없었기 때문이다. 문 근처에 책상이 있는 경우라면 그나마 노크를 했다. 미안하긴 했지만 어쩔 수 없었다. 그래야 미팅에 참석을 할 수 있었으니 말이다. 이런 생활을 1 년 반은 한 것으로 기억한다.

같이 일을 하는 현지에서 채용한 프랑스 친구들이 그나마 있어서 말이 안통하는 프랑스의 고객사에서 살아 남을 수 있었다. 하늘만 보이면 담배를 태우고, 담뱃재는 아무데나 버렸으며 그다지 깨끗하지 않은 프랑스라고 생각 했는데, 회사 내에서도 별반 다르지 않았다. 하지만 겨울이 아닌 계절은 하늘이 파랗고 구름이 낮았으며 한여름에도 습도가 낮아서 크게 더위를 느끼지 못했다. 물론 겨울은 정말로 사람을 미치게 할 정도로 흐리고 습한 날씨들의 연속이었다.

다신 없을 첫 경험

타오위안 국제공항에 도착한 우리는 열흘짜리 선불 심카드를 샀다. 아무래도 스마트폰이 없으면 할 수 있는 일이 없으니 필수로 필요한 것이었다. 출근 다음날은 인사팀에서 나와 같이 거류증이라고 부르는 ARC 를 만들러 간다고 했다. 그리고 바로 거류증이 나온다고 했다. 그러면 사실 열흘짜리까지도 필요가 없었다. 하지만 사람일이란 모르는 법, 내것은 일찍 나오더라도 가족껀 시간이 좀 걸릴 수 있다 싶어 모두 열흘짜리로 구매를 했다. 2 만 5 천원이 채 안되는 금액이라 로밍보다도 훨씬 저렴했다. 데이터 무제한이라 카톡도 유튜브도 맘대로 볼 수 있었다. 보이스톡은 생각보다 음질이 깨끗하지 않았는데 그게 여기 네트워크 사정인지 아닌지는 알 길이 없었다.

집에 도착해서 집주인과 부동산과 이런 저런 얘기를 하고 있는데 집에 설치한 인터넷 와이파이 비밀번호를 알려준다. 아이들은 제 노트북과 폰에 와이파이를 연결한다고 했다. 난 이게 무슨 상황인가 싶었다. 와이파이 기기를 어떤 것을 선택할 것이냐고 부동산이 나에게 보냈던 라인 메시지가 있는데 말이다. 안 혹시라도 설정에서 언어를 바꾸거나 할 때 어려움이 있을 것 같아서 내가 직접 사가지고 가겠다고 했기 때문이다. 집이 55 평이라 괜찮은 놈으로 골라서 샀다. 결국 해외배송이었지만 사전에 설정까지 다 해 놨다. 그런데 와이파이 설정이 이미 되어 있다니 이게 무슨 소린가 싶었다. 모르는 척 물어보니 인터넷 요금에 포함되어 있다고 했다. 약간 짜증이 났지만 참을 수 밖에 없었다. 커뮤니케이션에 문제가 있었겠거니 했다. 다행히 와이파이는 집안 구석구석 잘 터졌다. 그때 고맙게도 토요일인데 우리집에 인사과 직원이 와 주었다. 입사전에 대만을 방문했을 때, 하나부터 열까지 세심하게 챙겨 줬었던 친구였다. 호짱과 아이들이 작은 선물을 해준다 뭐한다 난리를 쳤었다. 그런데 워낙 서둘러 오다보니 아무런 준비를 해오지 못했다.

이 친구가 최종 계약이 마무리 될 때 즈음 서류 뭉텡이를 나에게 주었다. 거류증 신청서 였다. 이것 저것 세심하게 챙기는구나 생각을 했다. 그렇게 받아 놓고 모든 계약 절차가 끝나고 우리 식구들만 남았을 때 서류를 살펴봤다. 단박에 눈에 띈 것은 사진이 필요하다는 것이었다. 크기도 정해져 있을 뿐만 아니라 배경 색도 지정이 되어 있었다. 아무런 안내를 받지 못했던터라 난감했지만 준비성이 좋은 호짱이 가지고 있지않을까 생각했다. 그런데 하늘이께 없었다. 뭐든 빨리 진행이 되어야 정착하기 쉽다는 생각이 들었다. 도착한 당일은 정신이 없었다. 이미 사진을 찍으러 갈 시간은 늦었다. 잘때 깔아야할 토퍼 등을 사러 다녔기 때문이다. 이튿날 어떻게 사진을 찍어야 하나 생각했지만 일요일이었다. 문득 프랑스에서 살았을 때의 생각이 났다. 까르푸에 사진을 출력할 수 있는 기계가 있었다. 첫날이라 간신히 텅빈 집에서 짐이 올때까지 살수 있도록 이것저것 그리고 먹을 것을 쇼핑하느라 시간은 이미 늦었고 몸은 이미 녹초가 되어 있었다. 여기도 편의점에 혹시 있지 않을까? 하는 생각에 여기 저기 돌아다녔다. 번화가의 세븐일레븐, 패밀리마트도 가봤다. 복사기는 보였는데 사진을 출력하는 기기는 보이지 않는다. 검색 한번 해 보지 않고 무모하게 돌아다니고 있었구나 하는 생각이 어느 세븐일레븐에 들어섰을 때 들었다. 역시나 네이버에 물어보니 해답이 있었다. 세븐일레븐에서 4×6 사이즈 사진을 출력할 수 있었다. 광고만 잔뜩 나오는 기계가 바로 사진을 출력할 수 있는 기계였다. 하지만 모두 한자 투성이다. 친절한 아르바이트 생일 끌고와서 도와 달라고 했다. USB 나 메모리가 없었기 때문에 사진을 전송해야하는데 회원 가입을 해야한단다. 복잡하다. 결국 혼자서 몇 번을 해 보다가 결국 실패했다.

직접하는 것은 실패를 하긴 했지만 사진 파일만 만들어 놓으면 회사에서 누군가에게 부탁을 하면 될 것 같았다. 그래서 고심을 하던 중에 모바일 어플리케이션 중에는 혹시나 하는 생각에 검색을 해봤다. 마침 여권사진이건 증명사진이건 내가 출력하는 사진의 크기만 알면 거기에 맞게 사진을 만들어주는 프로그램이 있었다. 몇 번의 시도 끝에 뒷배경을 한 가지 색 혹은 단순한 배경에 놓고 직접 사진을 스마트폰으로 찍고 배경을 지워주는 프로그램으로 배경을 지운 후에 여권사진 앱으로 간단하게 만들 수 있었다. 다행히 우리부서의 비서가 사진을 1 층 사내에 있는 세븐일레븐에서 출력해줬다. 부서마다 비서가 한 명씩 있었다.

여기서 번거로운 일이 끝났으면 얼마나 좋을까? 이번엔 가족관계증명이 필요하다고 했다. 어찌 요구하는 서류가 정말 없다 싶었다. 호짱에게 얘기하니 인터넷으로 영문 증명서를 발급받을 수 있다고 했다. 그래서 바로 발급을 받아 디지털 파일로 제출을 했다. 영문 파일이라 아무런 문제가 없지 않을까 싶었다. 그런데 웬걸, 대만 영사관 세종로에 있는 "주 타이뻬이 대한민국 대표부"라는데서 공증을 받아야 한다고 했다. 미리 얘기했으면 좋으련만 싶었다. 이미 엎질러진 물이었다. 꼼꼼하게 잘 챙겨준다고 생각했던 인사과 직원은 허당이었다. 한마디로 잘 몰랐다. 커뮤니케이션에서도 오류가 여기저기 보였지만 이젠 어쩔 수 없다. 이젠 내가 풀어가야만 한다. 한국에 있는 장군이에게 부탁을 했다. 아르바이트로 바쁜 장군이가 없는 시간을 쪼개서 서류를 준비해줬고 조만간 서류가 도착할 것이다. 그것 뿐만이 아니었다.

여기도 세금이 꽤나 높다고 했다. 세금을 조금이라도 덜 내려면 거류증 중에 골드카드를 발급받으면 된다고 했다. 거류증에는 골드카드라는 것이 딸고 있었는데 대만에서 약 7 천명 정도만 가지고 있다고 했다. 해외 인재들에게 대만에서 살게 하기 위해서 발급해 준다는 카드다. 따져보니 나는 자격이 될 것 같다고 했다. 일정 구간의 세금 혜택도 주어지고 5 년을 살아야 나오는 영구거류증이 골드카드를 발급받으면 3 년만에 발급 받을 수 있다고 했다. 일종의 혜택이 있는 거류증이란거다. 여기도 들어가는 서류를 대만에서 발급받기 어려웠다. 소득금액 증명원과 같이 소득을 증빙하는 자료는 인터넷 강국 한국의 시스템을 활용하여 전년도까지의 자료를 아주 쉽게 발급 받았다. 그런데 올해 자료도 필요하다고 했다. 어딘가 방법이 있을 것이라는 기대를 가지고 검색에 검색을 해 봤지만 없었다. 급여근로자는 회사에서 원천징수영수증을 받을 수 있다고 했다. 선불폰을 활용해 이전회사에 국제 전화로 물어봤다. 영문은 발급 불가하단다. 결국 국문으로 발급받고 국문 경력증명서와 영문 경력증명서를 같이 떼고 국문 경력증명서에 영문 이름을 같이 넣고 확인을 위해서 주민번호를 모두 넣어달라고 부탁했다. 이걸로 처리가 되면 좋겠다 싶다.

어느새 열흘이 지났다. 거류증은 아직도 소식이 없다. 말이 자꾸 바뀐다. 신청은 바로 할 것이고 2 주가 걸린다는 것을 바로 나오는 것처럼 얘기했던 것이다. 선불폰은 이제 내일이면 끊어진다. 결국 다시 선불 심카드를 사거나 지금쓰고 있는 선불폰을 기간 연장해야한다고 한다. 번거로운일 투성이다. 통신사 대리점을 찾아보니 사무실에서 걸어서 10 분 거리에 하나가 있다. 퇴근길에 서둘러 찾아갔다. 이번엔 넉넉하게 한달짜리로 할까 하는 고민을 하면서 찾아갔다. 짧은 영어를 하는 여직원과 마주 앉았다. 선불 심카드는 기간 연장이 안된단다. 그런 것도 있는 것 같은데 어쨌거나 내껀 안된단다. 그럼 새걸로 바꾸자고 했다. 그것도 안된단다. 하나의 여권번호로 두 개의 전화번호를 가질 수 없다는 것이었다. 선불폰 기간이 끝나 전화가 끊어지면 오라고 했다. 이건 또 뭔소린가 싶었지만 그냥 돌아섰다. 다시 생각해 보면 기간이 남아 있으니 마저 쓰고 오란 소린가 싶기도 했다. 어쨌거나 다음날 밤 11 시에 유심 사용 기간이 끝나니 그 다음날 아침 8 시까지 오라고 했다. 별수 없이 난 내 것만, 호짱은 본인 것과 아이들 선불심카드를 사기로 했다. 출근길에 우버를 집에서 불러놓고 도착 시간이 임박해서 집앞으로 나갔고 사무실에 앉아 있다가 8 시 30 분이 넘어서 다시 대리점으로 갔다. 젠장, 9 시부터 여는지 셔터가 굳게 내려와 있었다. 영어가 짧은애 말을 믿는게 아니었다. 다른 때는 구글 검색을 해 보고 크로스체크를 하곤 했는데 너무나 당당하게 '에잇 인더모닝'이라는 말에 속았다.

새로운 환경, 새로운 언어 속에 살다보면 많은 실수도 하게 마련이다. 호짱이 실수를 한 예를 하나보면 이렇다. 인터넷 검색을 하다 보면 대만에서는 이지카드라는 것을 많이 추천한다. 카드에 현금을 충전해 사용하는 방식이다. 버스, 지하철 기차를 탈 때도 사용할 수 있고 편의점에서도 사용할 수 있다고 한다. 일을 하고 있는데 연락이 카톡이 왔다. 이지카드를 사서 쓰고 있는데 카드가 블럭이 되었다는 것이다. 나름 열심히 검색을 해서 어디로 전화를 해서 블럭된 카드를 풀어야하는지 보내왔다. 부서 비서에게 부탁을 해야하나 내가 직접 전화를 해 볼까 고민하다가 직접 전화를 했다.

영어를 선택하려면 2 번을 누르라고 해서 눌렀더니 전화를 받는 친구가 전화번호를 알려달라고 했다. 영어하는 직원을 통해서 전화를 주겠단다. 2-30 분 있다가 전화가 왔다. 기대와는 달리 영어를 잘하진 못했지만 한참을 서로 이야기를 주고 받았다. 그런데 내가 가진 정보는 이지카드가 아니라고 했다. 그래서 호짱이 보내준 카드에 써 있는 번호말고 icash2.0 이라고 씌여 있다고 했다. 그랬더니 자기네 카드가 아니란다. 브랜드가 많다고 했다. 비서에게 개인적인 것을 자꾸 부탁하기가 뭐해서 검색을 해봤다. 생각보다 영어로 된 정보가 적었다. 단품으로 찾아보니 호짱이 구입했다는 200 타이완 달러보가 비싼 가격에 팔리고 있었다. 그러면 충전된 금액이 더 크지 않을까 하고 구글렌즈를 통해서 번역을 해 봐도 정보가 보이지 않는다. 아무래도 카드 단품을 산게 아닌가 의심이 되었다. 결국 잔액을 확인하는 사이트를 찾아서 검색해보니 잔액이 없었다. 16 자리 카드번호 말고도 8 자리 번호를 더 넣게 되어 있는데 그게 카드 한쪽에 써 있는 번호가 맞다면 잔액이 0 원인 것이다. 아직도 알아보는 중.

더 큰 문제는 가족들의 심카드를 사는데서 발생을 했다. 처음, 비서가 알아봐 준 것은 여권 사본으로는 선불심카드를 살 수 없다고 했다. 퇴근을 해서 집에 들러 저녁을 먹고 중화텔레콤으로 향했다. 일부 통신사들이 9 시까지 하는 매장들이 있었기 때문에 서두르지 않았다. 여권들을 모두 챙겨서 갔다. 여권을 보여주면서 선불심카드를 사러 왔다니 번호표를 뽑아주면서 기다리라고 했다. 10 여분을 기다리고 있는데 직원이 다가왔다. 본인이 직접 자신의 여권을 가지고 와야만 구매를 할 수 있다고 했다. 번호표를 뽑기 전에 얘기해 줬으면 좋으련만 어쩔 수 없었다. 일면 이해가 가는 부분이 있었기 때문이다. 분실한 신분증으로 선불심카드를 사서 사용한다면 악용될 소지가 있을테니 말이다. 그래서 그 다음날 가족들이 모두 출동을 하기로 했다. 호짱에게 아이들을 데리고 가서 사라고 했는데 뭔가 찜찜했는지 나도 회사가 끝나고 합류하기로 했다. 집에서 내 걸음으로 15 분 거리, 사무실에서 20 분거리에 위치한 매장이었다. 출발한다는 카톡을 받고 출발을 했는데 대리점에 도착을 하지 않았다. 걸어서 15 분 거리이지만 택시를 타고 오라고 했는데 아직도 도착을 하지 않은 것이다. 카톡을 보내도 셋이 모두 심카드가 없으니 받을리가 없다. 혹시 걸어오는 중인가? 걸어오다가 중간에 길을 잃었나? 배가 고파서 햄버거라도 먹으러 갔나? 별의 별 생각이 다 들었다. 내가 도착하고 20 분이 지났으니 도착해도 벌써 도착했어야 할 시간이다. 인도가 없는 곳을 걸어오다가 사고라도 나지 않았을까 하는 걱정도 되었다. 혹시나 한국 전화를 켜 놨을까 하고 전화를 걸어보니 역시나 음성사서함으로 넘어간다. 집 방향을 뚫어져라 한참을 바라보고 있었다. 그럴 무렵 반대 방향에서 호짱과 두 놈이 나타났다. 45 분 정도를 걸려 뼁 돌아온 듯 했다. 그래도 다행이라고 가슴을 쓸어내리며 대리점으로 들어가 심카드를 달라고 했다. 본인들이 여권을 가지고 왔으니 30 일짜리 데이터 무제한 심카드를 사서 근처에서 저녁을 먹고 들어갈 계획이었다. 그런데 웬걸, 여권 이외에 추가로 신분증이 있어야 심카드를 구매할 수 있단다. 난 여권만 가지고서 심카드를 샀다. 거기서도 다른 신분증이 있어야 한다고는 했지만 여권에 찍혀있는 입국 도장에 90 일 동안 머무를 수 있다고 되어 있어서 그걸로 대체를 했다. 그걸 천천히 설명을 했다. 그래도 자기네는 안된단다. 대만 신분증이 없으면 한국 신분증이라도 있어야 한다고 한다. 자기들은 안되니 그 지점으로 가서 사라고 했다. 같은 회사의 대리점이라도 다를 수 있단다. 기가 찼다. 한국의 신분증이 바로 여권인데 추가로 뭐가 더 필요하다는 것인지 이해가 되지 않았다. 호짱이 한국 신분증을 가지고 나오지 않아서 결국 호짱도 못사게 생겼다. 읽지도 못하는 한국 신분증이라도 있어야 한다는 것이 이해가 되지 않는다. 거류증이 왜 없느냐고도 물었다. 도착한지 겨우 2 주일이라 신청은 했는데 안나왔다고 하니 그럼 한국 신분증을 내 놓으란다. 학생들은 어떻게 하느냐고 했다. 그랬더니 한국 학생증이라도 보여줘야 한단다. 결국 아무런 소득 없이 돌아서야만 했다. 두 번을 방문해서도 심카드를 못 샀다. 젠장.

OOOoooOOO

백지 수표라는 얘기를 들어봤는가?

아마 한국에서는 백지 수표를 들고 있으면 수표 위조범으로 잡혀가지 않을까 싶다. 하지만 여기 프랑스에는 진짜로 백지 수표가 있다. 개인이 수표책을 들고 다니며 수표를 발행할 수 있다. 일종의 어음 같은 것이라고 해야 할까? 그래서 그 반대급부로 현금을 사용하지 않기도 한다. 덕분에 나같은 사람은 정말 난처한 경우를 꽤 겪었다. 먼저 신용카드의 월회비에 따라서 일주일에 인출할 수 있는 돈이 정해졌다. 내 경우엔 한달에 대략 10 유로 정도의 월회비를 냈는데 이 경우에는 ATM 으로 인출할 수 있는 금액이 일주일에 700 유로가 전부였다. 당시에 환율이 1300 원 정도 할 시기였으니까 일주일에 91 만원 정도를 인출할 수 있다는 얘기다. 물론 신용카드를 사용하기도 하니 현금을 사용할 일이 그리 많지는 않았다.

처음 문제가 발생한 것은 생활비 문제였다. 내 은행 계좌는 기억해 보면 채 두 달이 되지 않아 발급을 받은 것 같다. 기억에 첫 달 급여는 계좌가 없어서 못 받았던 기억이 있기 때문이다. 그래도 난 회사의 도움을 받아 계좌를 만들고 현금인출기능이 들어간 신용카드를 만들었는데 호짱은 그게 없었다. 우선 체류증이라는게 나와야 호짱은 계좌를 만들 수 있었을 것이다. 그러니 한 동안 매주마다 현금을 인출해서 호짱에게 줘야만 했다. 나도 현금이 필요했으므로 200 유로 정도는 내가 가지고 있고 나머지는 모두 호짱에게 주었다. 매주 현금을 인출하는게 한 때는 번거로운 일이었다. 물론 시장을 볼 때는 내가 같이 가서 신용카드로 결제를 해주는 경우도 많았다.

왜 은행가서 현금을 찾지 않았느나구?

정말로 한번은 꽤 많은 현금이 필요했던 일이 있었다. 그래서 아무 생각없이 영어를 할 수 있는 은행원이 있는 곳으로 달려갔다. 가서 나 현금이 5000 유로가 필요하니 어떻게 인출하면 되는지 알려 달라고 했다. 그런데 어떤 대답을 들었는지 아는가?

"우리 지점엔 현금이 없었습니다"

였다. 우리네 상식에서는 전혀 납득이 가지 않는 대답이었다. 은행에 현금이 없다는 것이 말이 되느냔 말이다. 그래서 급하게 현금이 필요하다고 했더니 현금이 있는 지점을 알려주겠다고 했다. 그런데 미리 약속을 잡지 않고 무작정 간다면 5 천 유로 정도 밖에 못 찾을 것이라고 했다. 난 그정도면 충분하다고 하고, 차를 끌고 30 여 분을 달려 해당 지점으로갔다. 지금도 생각나는데 현금을 인출할 수 있는 은행은 드라마에서나 보던 전당포 같은 모양을 하고 있었다. 현금을 취급하기 때문인 듯 했다. 어쨌거나 현금이 필요했던 나는 5 천유로가 필요하다고 했지만 돌아온 답변은 3 천 유로 밖에 없다는 것이었다. 미리 예약을 하지 않았으므로 그만큼의 현금이 없단다. 결국엔 3 천 유로만 찾아서 돌아와야 했다. 왜 현금이 필요했었는지 기억이 나진 않지만 은행에서 현금을 찾을 수 없다는 재미있는 경험이었다.

대중 교통

우버라는 대중 교통을 이용해 출퇴근을 했다. 한국과는 다르게 일반 택시 뿐만 아니라 승용차도 우버를 통해 부를 수 있었으므로 엄밀하게 얘기하자면 이미 대중 교통은 이용해봤다. 이번엔 열차를 이용해서 타요위안에 있는 이케아로 가능 중이다. 아침은 집 앞에 있는 루이자라는 로컬 카페에서 간단하게 해결했다. 스타벅스에서 샌드위치 등과 함께 커피를 먹을 때보다 세트메뉴만 먹으면 ⅓ 가격이다. 이것 저것 세트에 없는 메뉴로 주문을 해도 절반 가격이고 나름 괜찮아서 지난 주 부터 이용을 하고 있다. 간단하게 브런치로 아침을 해결한 우리는 집 근처 기차역으로 갔다. 우리가 사는 곳은 신주시다. 신은 우리가 알고 있는 한자 새 신자이고 주는 대나무 죽이다. 이 도시는 여행자들에게는 잘 알려지지 않은 동네이고 오히려 출장을 대만으로 오는 사람들 중에선 아는 사람이 꽤 있지 않을까 하는 생각이 든다. 이 도시에는 그 유명한 STMC 가 있는 도시이기 때문이다.

이 동네에도 집에서 멀지 않은 곳에 이케아가 있어서 지난주에 다녀왔다. 그런데 심하게 얘기하자면 동네에 있는 좀 큰 수퍼 정도의 크기라 당황을 했었다. 알아보니 여긴 배송센터에 딸린 작은 매장이라고 했다. 우리가 상상하는 곳을 가보려면 타오위안이라는 도시에 있는 이케아를 가 보라고 했다. 며칠 있으면 이삿짐이 들어오는데 가구를 버리고 온 것이 있어서 빨리 샀으면 좋겠기에 가는 중이다. 인도가 없는 곳이 많고 오토바이가 많아서 위험해 보이는 도로를 따라서 역에 가야했다. 여기 사람들이야 당연하게 다니는 길일텐데 우리가 보기엔 좀 위험해 보이는게 사실이다. 아이들 단속을 하며 기차역에 도착을 했다. 역의 이름은 한자 그대로 읽으면 신장, 영어로는 Xinzhuang 이다. 처음이라서 표를 사고 플랫폼을 찾아가려면 좀 힘이 들겠구나 했다. 매표소에는 사람이 없고 티켓을 파는 판매기기를 이용해야했다. 매표소 앞의 노선도를 보고 티켓판매기로 가보니 이미 표를 끊고 있었다. 호짱과 제리였다. 기계에는 그리고 한국어가 보였다. 좋은 세상이다.

표를 끊고 열차를 탔다. 열차는 한번 갈아타면 된다고 했고 우리에겐 강력한 스마트 폰이 손에 하나씩 들려 있었기에 걱정이 없었다. 한자와 영문표기 그리고 대만의 발음을 들어가며 신주역에 도착을 했다. 여기서 열차를 갈아타고 타이페이쪽으로 가야한다. 사람들은 우르르 자기들이 아는 쪽으로 움직였지만 우린 모두 얼음이 되어 사람들이 모두 사라지기를 기다렸다. 그러고 나서 여기저기 안내판을 찾아 두리번거렸다. 한정거장 전에서 내려 갈아탔어도 될 것을 더 왔는가 싶기도 했다. 중요한 것은 어디서 타오위안 방향의 열차를 타야하는지였다. 옆에 선글라스를 낀 젊은 아가씨가 보인다. 젊은 사람이 영어를 잘하겠지? 그냥 지나쳤다. 오해가 받기 싫다. 좀더 걸어가다보니 기관사인지 안내하는 사람인지 제복을 입고

깃발을 들고 있는 사람이 있었다. "웨얼 타이페이?" "원원에잇투 2B" 뭣 같이 물어봐도 찰떡 같이 얘기해 준다. 플랫폼 2B 로 가란 얘기다. 영어를 쓰지 않는 해외에선 짧은 단어를 나열하는 영어가 최고다. 회사에선 상황이 다르지만 밖에선 오히려 더 잘 먹힌다. 2B 로 갔더니 1182 호 열차가 이미 도착해 있다. 얼른 올라타고 재 확인을 한다. 자리에 앉아 있는 사람에게 "타이페이?"하고 끝을 올려 묻는다. 고개를 끄덕이며 "오케이"란다. 이렇게 우리는 열차에 오른다. 고속열차는 한정거장이라고 했다. 그런데 이 열차는 역을 모두 서는가보다. 그렇게 몇 정류장을 지나쳤을까? 갑자기 혹시나 하는 생각이 들었다. 맞은편 창밖을 바라보다가 급하게 스마트폰을 꺼냈고 구글맵을 열어 확인을 하기 시작했다. 이게 지하철인지 열차인지 뭔지 구글에서 노선도를 찾기도 쉽지 않았다. 이렇게 저렇게 시도를해서 겨우 열차 노선을 찾았다. 다행히 우리가 탄 열차는 타오위안까지 간다. 그렇게 가슴을 쓸어내리려는 순간 기차역과 이케아와 거리가 꽤나 떨어져있음을 알았다. 그랬다. 우리가 타야하는 열차는 타이완 고속 열차였는데 우리는 일반 기차를 탄 것이었다. 어째 쉽게 간다 했더니 결과는 그렇지 않음을 얘기하고 있었다. 역이름이 같았기 때문에 그랬는지도 모른다. 나중에 안 사실이지만 일반 열차에서 내려고 고속열차 터미널로 이동을 해서 다시 표를 끊어야 했던 것이다. 지하철 서울역과 기차 서울역이 같은데 있지만 타는 곳이 다르듯 여기도 그랬던거다. 그것도 아주 멀었다. 우버로 20 분은 달려간 듯 싶었다.

OOOoooOOO

말이 안통하는 해외에서는 우버만큼 편리한 것이 없다. 물론 우버가 나오기 전에 미국에 출장을 갔을 때는 한인 택시를 법인에서 불러줘서 편리하게 다녔다. 하지만 유럽에선 한인 택시기사를 볼 수 없었다. 그래서 우버가 나온 다음에는 웬만하면 우버를 타고 다녔다. 얘기를 할 필요도 없고, 단지 앱에서 목적지를 입력하고 나면 할일은 시간 맞춰 우버 택시를 만나기만 하면 되었기 때문이다. 우버가 나오기 전에는 정말 불편한 프랑스였다.

지하철을 타면 오줌 지린내가 진동을 한다. 어떤 놈들이 오줌을 갈겨대는지 몰라도 정말 찌린내가 진동을 하기 때문에 지하철을 타기가 싫었다. 그나마 우리집 앞에 있었던 쟈스민 역은 냄새가 별로 없었던 것 같다. 시내의 관광객이 많지 않고 동네 사람들이 주로 이용하는 역이라서 그럴 수 있었을 것 같다는 생각이 들기도 한다.

택시를 타도 프랑스어를 할 줄 모르면 어디로 이동하는 것도 어렵다. 예를 들어 관광지로 유명한 베르사이유 궁전을 간다고 해 보자. 베르사이유, 뻬르싸이유와 같이 별의 별 발음을 해도 택시기사는 알아 듣지 못한다. 그나마 주소를 프린트 해 왔다면 목적지는 보여줄 수 있을텐데 그렇지 않을 경우 베르사이유와 같이 미국식 발음을 해서는 아무도 알아듣지 못한다. 상상도 못할 발음 "벡싸이"라고 해야 알아 들으니 말이다. 목적지를 알려줘도 장난을 치는 택시 기사도 많다. 한번은 출장자가 100 유로에서 120 유로 정도가 나오는 거리를 250 유로나 주고 왔다는 얘기를 듣기도 했으니 말이다.

어디서나 태워대는 담배 냄새, 찌렁내, 여기저기 널부러져 있는 쓰레기들이 눈살을 찌푸리게 한 경우가 한 두 번이 아니다. 공항에서도 예외는 아니어서 한번은 이미그레이션까지 마치고 밖으로 나오려는데 경찰들이 바리케이트를 치고 못 나가게 막았던 기억이 있다. 이유도 말해주지 않고 한시간 가량을 멍하니 서서 수많은 사람이 기다렸던 기억이다. 정말로 최소한 2 시간 이전에는 공항에 도착해야 하고, 가끔은 2 시간 전에 도착을 했음에도 마지막에는 비행기를 타려고 뛰어다니던 헤프닝도 있었던 곳, 끔찍하게 프로세스가 느려터졌었던 나라가 바로 프랑스였다.

프랑스에 4 년을 있으면서 많은 사람들이 소매치기를 당했다. 호짱은 지하철 안에서 실제로 소매치기 하는 것을 목격할 정도였다. 누군가는 배낭을 앞으로 메고 있어도 당했다고 했고 누군가는 호텔에서 체크인을 하는 중에 캐리어 위에 얹어 놓았던 가방을 잃어버리기도 했다고 했다. 하지만 난 전혀 아니었다. 딱 한번 주말에 출장자들을 루부르 박물관 근처에 내려주고 카페에서 커피를 마시고 있었다. 당연히 사복 차림이었고 스마트 폰은 아무 생각 없이 테이블 위에 올려 놨다. 아이들이 전단지 같은 것을 나눠준다고 내 곁으로 오는데 카페 직원이 아이들을 밀쳐냈다. 그리고 나에게 한마디 했다. 핸드폰은 테이블 위에 올려 놓으면 안된다고 말이다. 아이들이 전단지를 놓는척 하고 핸드폰을 들고 달아난다고 했다. 이 경험 이후에 난 대부분 양복 차림이었다. 그리고 파리 시내가 어느 정도 익숙해져 있었다. 그래서인지 수상한 누군가가 다가오거나 유명한 관광지에서 흔히 볼 수 있는 흑인들이 팔찌를 강매하는 그런 일은 당하지 않았다. 추측컨데 소매치기를 당하는 사람들의 대부분은 여자이거나 시선이 눈 높이보다 높은 사람들이었다. 관광지이다보니 여행을 온 사람들은 대부분 위쪽을 보고 다니기 때문이다. 물론 수트 차림으로 다녔기 때문일 수도 있지만 말이다.

새로운 만남

이삿짐이 들어오는 날이다. 연차는 원래 1 년 만근을 해야 생긴다. 그걸 깜박하고 있었다. 오랜만에 이직 이어서 그런건지 그걸 깜박했다. 내년 4 월 말까지 3 개의 휴가가 있다고 했다. 턱없이 적은 숫자다. 올해 마지막 주에 크리스마스가 끼어 있어서 입사하기 전에 한국행 비행기 티켓을 끊었는데 대만은 크리스마스때 쉬지 않는다. 5 일 휴가가 필요한데 3 개 밖에 없다. 오늘은 또 이삿날이다. 웬만하면 휴가를 쓸까 했는데 호짱 잘 하면 그냥 두고 귀찮아하면 휴가를 쓰려고 마음을 먹고 있었다. 오늘은 월요일, 이삿짐은 10 시에 도착한다고 했다. 정상 출근을 했다. 10 시쯤 되면 슬쩍 나가서 집에 들러 상황을 파악할 심산이었다. 그렇게 평상시와 다름 없이 출근해 있는데 상사가 아침부터 찾아왔다. 우리가 인수 합병한 독일 회사의 임원진이 우리 회사를 방문한다고 했다. 오전 9 시부터 회의에 참석해달라고 했다. 우리 제품에 대해서 동료들이 발표하는 것을 통해서 조금 배우고 소프트웨어 관련된 사항에 대해서 필요하면 얘기를 해 달라고 했다.

까마귀 날자 배떨어지는 격인지. 계획은 무산이 되었고 회의 참석해 있는 동안 좌불안석이 따로 없었다. 예상보다 늦은 10 시 20 분 경에 이삿짐이 도착 했다고 했다. 보이스톡으로 호짱과 통화하니 걱정 말라고 한다. 어찌 걱정이 안될까? 독일 친구들과 회의는 계속 되었고 점심도 워킹런치로 회의실에서 같이 하는 것으로 되어 있었다. 점심이야 핑계대고 빠지면 되지 않을까? 다행이었다. 점심은 몇몇 사람들끼리만 하기로 되었고 오후 미팅은 2 시 30 분 부터 시작한다고 했다. 점심 시간이 되자마자 난 바로 우버를 불렀다. 그렇게 집에 도착한 시간은 12 시 15 분, 걱정과는 달리 호짱이 잘 하고 있었다. 번호가 써 있는 짐이 들어오는지 확인하고 어느 방으로 가야 하는지도 잘 알려주고 있었다. 되레 나한테 왜 왔느냐고 했다. 다행이었다. 천천히 사무실로 돌아오려고 했으나 호짱에게 등떠밀려 사무실로 다시 향했다. 점심만 시켜주고 난 사무실로 돌아올 수 있었다.

오후가 되서 다시 회의 참석, 우리의 개발 프로세스와 기술들을 설명해 주는 자리가 퇴근시간까지 이어졌다. 독일에서 온 친구들에게 프리젠테이션을 하는 것이었지만 나에게도 많은 도움이 되었다. 특히 전시실 투어는 특히 좋았다. 우리의 제품을 실제로 볼 수 있는 자리였기 때문이다. 자동차에서 사용할 수 있는 많은 아이디어가 나올 것 같다. 모니터의 반사를 없앤 디스플레이는 ART 디스플레이라고 부르고 있는데 얼핏 봤을 때는 유화 액자인줄 알았던 것이 액자 테두리를 가진 모니터였다. 아무리 가까이서 봐도 유화가 아닐까 하는 의심이 될 정도였다. 손으로 만져서 유화의 느낌을 보려고 할 때, 이미지가 바뀌었다. 제품으로 판매를 하지 않는 것 같은데 출시를 한다면 꼭 하나 사고 싶다는 생각이 들었다.

미팅에서 난 주로 들을 수 밖에 없었다. 우리 제품에 대해서 아는 것이 거의 없었기 때문이다. 하지만 자동차용 제품의 개발 프로세스나 특히 개발 관련해서 소프트웨어 쪽에선 웬만한 것은 모두 커버할 수 있었다. 내 우위에 상사들도 있고 동료들도 있었기 때문에 내가 아는 사항에 대해서는 주저 없이 나서서 이야기를 했다. 여기에 있는 친구들 눈으로 보자면 난 외국인 노동자다. 내 존재를 알려야만 이네들과 소통할 수 있다고 생각했다. 처음 보는 친구들과는 인사도 나누고 하루를 열심히 살았다. 기술적인 사항 뿐만 아니라 사내 프로세스도 다른 부분이 있어서 자료는 공유를 받아야만 했다. 회의는 퇴근 시간까지 이어졌기 때문에 바로 자료요청은 하지 못했다.

다음날 아침, 동료가 보내온 회의록 메일에 나를 간단히 소개하고 자료 공유를 부탁하는 메일을 보냈다. 그렇게 친절한 친구들이 자료 공유에는 참 인색한건지 하루 종일 기다려도 회신을 주는 친구가 없다. 풀어야할 숙제가 생긴 기분이다. 바빠서 그렇겠지? 하루 정도는 더 기다려 봐야겠다.

하지만 메일은 없었다. 아직 나라는 사람은 생소한 외국인 직원일 뿐인 듯 싶다. 어떻게든 이 상황을 헤쳐 나가야 한다. 그렇지 않으면 활용성이 떨어지는 계륵으로 남게 될 수도 있다. 내가 원하는 바가 당연히 아니다. 헤젓고 다녀야겠다. 내게도 받아들어야 하는 여기 친구들에게도 쉽지는 않겠으나 그렇게 하라고 나를 채용한 것 아닐까?

OOOoooOOO

살면서 다양한 사람들을 만나게 된다. 그 중에서도 오랫동안 기억에 남는 사람들이 있게 마련이다. 정말 많은 사람이 있지만 프랑스에서 같이 일을 했던 친구들은 지금도 잊을 수 없다. 너무나 잘 맞았던 동료들이기 때문이기도 하고 어려울 때, 곁에 있었던 친구들이어서 그럴 것 같기도 하다. 토마 형제와 니콜라다. 영어식 발음으로 하면 토마스와 아써 형제 그리고 니콜라스다. 프랑스에서 근무하던 4 년은 이들이 있었기 때문에 큰 문제 없이 지낼 수 있지 않았나 싶기도 하다. 지사에서 우리가 하는 일이란게 개발하는 프로젝트를 지원하는 것이 70% 이상의 부분을 차지하고 있기 때문에 큰 일이 없었다는 것은 프로젝트 상태가 나쁘지 않았다는 것을 의미하는 것이다. 개발하던 프로젝트 뿐만 아니라 추가로 비지니스를 지속했었다는 것은 우리를 고객사에서 인정하고 있었기 때문일 것이다. 물론 지사가 아니라 개발을 맡은 본사의 영향이 더 크기도 하겠지만 양쪽이 다 잘했기 때문이 아니었을까?

이 세 친구들의 가장 큰 장점은 서로 다른 일하는 문화를 잘 이해하고 필요할 때에는 한국식으로 업무를 같이 해 줬다는 것이다. 사실 프랑스라는 나라는 유럽의 다른 회사들과 다르지 않게 주 40 시간이라는 노동법을 가지고 있었다. 일반적으로 모두에게 적용되는 법인지는 모르지만 고객사는 퇴근 후, 11 시간 이내에는 회사에 출근을 못하도록 되어 있었다. 예를 들어 자정까지 야근을 했다면 다음날 11 시 이후에 출근을 해야 하는다는 것이 법으로 정해져 있다는 것이다. 나와 같이 일을 했던 이들은 당시에 이십대 중반으로 직장생활이 채 5 년이 안되는 친구들이었다. 그럼에도 불구하고 참 열심히 일을 하고 본사와 정말 합이 잘 맞았다. 한국과 프랑스는 7 시간의 시차가 난다. 프랑스의 점심시간 12 시는 한국시간 저녁 7 시가 된다. 유럽에는 여름에 썸머타임이 있기 때문에 4 월말에서 10 월 말까지는 시차가 8 시간으로 늘어난다. 그래서 프랑스 시간 오전에 본사와 모든 일을 대부분 끝내야 하고, 오후에는 고객사와 일을 하는 패턴이 이어진다. 그래서 평상시에는 늦게까지 일을 할 경우가 많지는 않다. 고객이 원한다면 필요한 업무들은 저녁에도 잠시 볼수는 있지만 대부분 8 시에 출근해서 6 시에는 퇴근을 한다. 나도 그랬고 이 친구들도 그랬다.

문제는 한국에서 온 출장자들이 있을 경우다. 출장 온 친구들은 급하게 해야 할 일이 있거나 문제가 발생한 경우가 대부분이었기 때문에 대부분 늦게까지 일을 했다. 빨리 일을 끝내면 일찍 한국으로 돌아갈 수 있기 때문이기도 했고 고객과 윗사람들에게 빠른 해결에 대한 압박을 받고 있기도 했기 때문이다. 또 다른 출장자들의 경우는 프랑스에서 제품이 출시되는 특성 때문에 현지에서 테스트를 해야 하는 일상적인 업무들을 했다. 이 친구들은 그나마 우리의 업무 시간에 맞춰 일을 했다. 초기에 임대를 했던 우리 사무실에서 수용할 수 있는 인원은 우리 4 명을 포함해서 최대 20 여명이 되었는데 거의 10 명 이상이 상주했던 것 같다. 이렇게 열심히 일을 했기 때문에 큰 문제 없이 프로젝트를 수행 할 수도 있었고 고객과의 관계를 잘 유지할 수 있었던 것이 아닌가 싶다. 이 세 친구들은 항상 본사에서 온 친구들을 열성적으로 도와줬다. 고맙기도 했고 미안하기도 했다.

더더욱 고마웠던 것, 그리고 어쩌면 나로서는 잘 이해가 가지 않는 부분도 있었다. 바로 한국에서 임원급이 출장을 올 경우다. 임원들이 출장을 오면 먼저 내가 공항에서 픽업을 해서 한식당에서 저녁을 같이 먹고 사무실로 와서 자료를 리뷰하고 다음날 같이 고객과의 회의에 참석하는 것이 일상적인 루틴이었다. 소위 의전을 포함해서 말이다. 한국에서 프랑스 샤를드골 공항까지는 아시아나와 대한항공이 모두 운행을 했다. 도착시간은 저녁 5 시 또는 6 시 30 분이었다. 그래서 저녁을 먹고 사무실에 돌아오면 대부분 저녁 8 시가 넘는 시간이다. 그런데 이 세 친구들은 그때까지 대부분 남아 있었다. 그리고 자정 전후까지 이어지는 자료 리뷰에 거의 항상 참석을 한다는 것이었다. 쉽지 않은 일이다. 자료를 리뷰할 때, 영어로 하는 것도 아니고 한국말로 진행을 하는 것이 90% 이상이었음에도 항상 자료 리뷰 미팅에 참석을 했고, 필요한 사항에 대해서 영어로 물어보면 답변을 해 주면서 같이 있었다. 고객사와의 미팅이 얼마나 길든지 같이 참석을 했다. 고객과의 미팅에 참석은 당연한 업무다. 하지만 미팅 중에 어떤 일이 있었고 고객사의 요구사항과 추후 요청받은 사항들에 대해서 미팅 중에 회의록을 작성해 준다. 그리고 미팅이 끝남과 거의 동시에 우리측 참석자들에게 회의록을 이메일로 공유해 준다. 이러니 이들을 이뻐하지 않을 수 없었다. 방문했던 임원들도 미팅 내용을 바로 정리해서 공유해 주니 공항으로 가는 길에 바로 확인하고 유관부서에 업무 지시를 바로 할 수 있었기 때문에 칭찬을 아끼지 않았었다.

난 이 친구들 자랑을 여기저기 하고 다녔다. 일을 잘하는 만큼 보상도 필요했었다. 우리는 프랑스 법인에 속해 있었기 때문에 법인의 규칙에 따라서 연봉 협상이 이루어져야 한다. 그럼에도 불구하고 본사와 우리가 사업부가 속한 유럽지사장에게 추가 인상이 필요하다고 요청을 해서 특별 인상을 받아내기도 했다. 내가 본 연봉 인상 중에 이렇게 까지 높은 비율로 인상된 것을 본 기억이 없을 정도로 높은 인상율을 받아냈던 기억이 난다. 지금은 모두 나처럼 회사를 떠나서 다른 곳을 찾아 이미 떠나갔다. 예전처럼 카카오톡을 연락을 주고 받지는 않고 있지만 지금도 생각나는 그리운 친구들이다. 다시 만날 기회가 있을까? 오늘은 생각난김에 예전

카카오톡으로 연락을 해 봐야겠다.

적응

모든 것이 익숙해지는데는 시간이 걸린다. 매일 아침 우버를 타는 출근길, 6 시 50 분에 타면 사내 스타벅스의 첫 손님으로 카푸치노를 주문해 가지고 사무실로 올라갈 수 있다. 좀 더 빠른 적응을 위해서 요즘 만든 내 루틴 중의 하나다. 채 3 주가 되지 않았는데 아침 7 시에 스타벅스에 들어가면 주문을 하기도 전에 같은걸 준비해줄까 물어볼 정도가 되었다. 그 외에 매일 바뀌는 우버 차량과 기사, 아침 일찍부터 시작되는 정체로 매번 바뀌는 출근길은 아직도 적응이 되지 않는다. 그나마 어제는 ARC 라는 외국인 등록증인 거류증이라는 것이 나왔다. 드디어 여기 대만에서 살기 위한 기본적인 한가지가 갖춰진 것이다. 하지만 안타깝게도 가족들의 거류증은 2 주 정도 후에나 받을 수 있을 것 같다. 이 ARC 는 비자 역할도 하고, 신분증, 취업허가증 역할도 한다. 거류증을 보면 한켠에 영어로 여러번 들어올 수 있음(MULTIPLE RE-ENTRY PERMIT)이라고 써 있는 것을 보니 말이다. 7 시에 스타벅스가 문을 여니 7 시 전에 도착을 하면 잠깐 밖에서 기다려 커피를 받아서 올라온다. 사무실에 도착을 하면 영어와 중국어 공부를 50 분 정도 한다. 사무실에서는 영어를 써야하고 생활하는데는 중국어가 필요하다. 영어는 좀 더 공부를 해 둘 필요가 있다고 느껴서 하고 있고, 중국어는 여기서 생활하려면 필수이기 때문에 어쩔 수 없이 시작한 면이 없지 않다.

올해는 혼자 독학으로 조금 해 보고 내년에는 일대일이든 가족과 함께든 수업을 들어야겠다. 애들은 학교에서도 별도 중국어 강의가 없으니 따로 배우긴 배워야 한다. 그렇게 8 시까지 공부를 하고나면 일과를 시작한다.

업무에 있어서는 이제 하나 둘씩 회의에 참석해 달라는 요청을 받고 있다. 그중 하나인 Management Committee Meeting 이 어제 있었다. 처음엔 유럽의 고객과 미팅이 있는 줄 알았다. Management Committee 라고 하면 일반적으로 고객과의 미팅으로 알고 있던게 15 년은 되었으니 그럴만도하다. 그래서 미팅을 주선하는 친구에게 사전 리뷰 미팅이 있는지도 물어봤었다. 이상하게도 사전 리뷰를 하지 않는다기에 미팅이 엉망으로 진행되겠다 싶기도 했다. 사전 리뷰가 있다면 부족하거나 틀린 부분에 대해서 수정을 요청하거나 최소한 조언을 해 줄 수 있을 것이라 생각을 했기 때문이다. 그런데 사전에 리뷰도 하지 않고 바로 미팅을 진행한다니 다소 걱정스러웠다. 회사를 좀 얕본 것이다. 미팅은 사내의 실장급 이상, 독일 지사와 함께 프로젝트 담당팀장급과 진행을 하는 미팅이었다. 꽤나 열띤 회의였다. 윗 사람들은 우리 회사가 경험이 없어서 불안하다고 나에게 여러차례 말을 했는데 생각보다 많은 준비가 되어 있었다. 그분들의 걱정이 기우가 아닐까 하는 생각도 했더랬다. 한시간의로 예정되어 있던 회의는 그 열기로 인해서 두 시간이 넘게 이어졌고 덕분에 9 시 조금 넘으면 집에 도착하리라는 내 기대는

깨졌다. 저녁도 못 먹고 사무실에서 헤드폰 끼고 혼자서 미팅을 참석한 결과였다. 한편으로는 내 역할이 별로 없을 것 같다는 위기감도 들었다.

그러던 중 얼마 지나지 않아 또 다른 미팅에 들어가게 되었다. 이사급들과 부사장이 함께 참석을 했고 우리가 인수 합병을 하려는 회사와 하는 미팅이었다. 처음부터 뭔가가 수상적었다. 설마 설마하면서 미팅을 참석 중이었다. 저런 슬라이드는 왜 만들었을까 하는 생각부터 들기 시작했다. 이건 아닌데 하는 생각이 드는건 한 두 군데가 아니었다. 더군다나 우리 쪽에서 하는 질문은 더 나를 난감하게 만들었다. 별로 나서고 싶지 않았지만 결국 끼어들 수 밖에 없었다. 끼어들고 싶어도 사실 별로 할 수 있는 말들이 없는게 사실이다. 왜냐하면 아직은 우리 회사에 대해서 아는게 별로 없으니까 말이다. 아주 잠깐이지만 몇 몇 미팅에 따라 들어갔을 때 주워 들었던 내용을 가지고 대처 할 수 있는대로 대처를 했다. 왜 그런 질문이 나왔는지 우리가 궁금한게 무엇지를 하나씩 내가 할 수 있는대로 설명을 했다. 그네들이 마이크를 껐을 때는 자동차 산업에 전혀 경험이 없다고 우리를 비웃지 않을까 하는 생각까지 들 정도였다. 하지만 이것 역시 나의 착각이었다. 내가 입사하기 전부터 미팅을 이미 여러차례 진행했었다고 했다. 여러차례 조율 된 상태에서 우리의 밑천을 모두 보여주자고 이미 내부에서 합의가 된 것이라고 했다. 그래도 물론 걱정이 되는 부분이 있기는 했지만 처음

만큼은 아니었다.

ＯＯＯｏｏｏＯＯＯ

해외에서 5 년을 살았고 수도 없이 전세계 출장을 다녔지만 아직도 잘 적응이 안되는 것 중의 하나는 시차 적응이 아닐까 싶다. 프랑스에 있을 때, 출장 온 친구들이 시차 적응에 실패했다고 회의 중에 졸고 있는 모습을 자주 목격하고 혀를 끌끌 찬 경우가 꽤 있었다. 사실 시차라는 것을 겪어 보지 않으면 모른다. 유럽 출장길, 한국서 점심 무렵에 비행기를 타고 유럽에 도착을 하면 유럽 시간으로 저녁 무렵이다. 그러면 차를 끌고 고객사까지 세시간 이상을 달려야 한다. 오랜 시간 비행에 몸이 지치고 거기에 운전까지 하다보면 몸은 녹초가 된다. 고속도로 휴게소에서 간단하게 저녁을 먹고 호텔에 도착을 하면 10 시가 훌쩍 넘기도 한다. 그러면 대충 씻고 그야말로 뻗어버린다. 잠이 들기 직전까지는 이런 생각을 하면서 말이다. 너무 깊게 잠들어서 내일 고객사 미팅에 늦으면 어떻게 하지? 그래서 알람을 두 개는 기본으로 맞춰 놓는다. 그리고 현지시각 밤 11 시경에 침대로 쓰러지듯 눕는다. 특히 겨울이 시간을 착각하기 쉬운 것이 일찍 해가 지고 늦게 해가 뜨는 유럽의 특성상 새벽에도 날이 어둡다. 그래서 더더욱 긴장을 하게 된다. 그래서 잘 만큼 자고 일어났다 싶어서 개운한 마음에 시계를 보면 현지시각 새벽 2 시 정도다. 세시간 정도를 자고 깼는데 개운하다. 그래도 내일 미팅을 생각하면 자야 한다는 생각에 다시 눕는다. 30 분이 지나도 한시간이 지나도 눈이 말똥말똥하다. 그렇게 피곤해서 곯아떨어졌는데 더 이상 잠이 오질 않는다. 머리만 대면 잠이 든다는 사람들도 잠을 못잤다고 하소연하기 일쑤다. 그렇게 잠이 오지 않으면 별 수 없다. 그냥 일어나서 회사 일에 손을 대거나 개인적으로 해야 할 일을 해야 한다. 누워 있어봐야 별 소용이 없다. 출장이 2 박 3 일 정도라면 오히려 활동을 해서 시차에 적응을 하지 않는 것이 바람직하다. 시차에 적응을 해 버리면 3 일 후에는 다시 한국서 시차 적응을 해야 하기 때문이다. 그나마 장기 출장이라면 시차 적응을 해야 하는데 짧게는 3 일 길게는 일주일까지 걸리게 된다.

분명 개운하게 일어났는데 너무 이른 시간이라 다시 잠을 자려고 노력을 했지만 잠을 못들고 뒤척이다가 출근을 하게 된다. 그래서 출장지에서 호텔조식을 먹을 때 보면 다들 일어난지 오래라 벌써 피곤해져 있는게 대부분이다. 아침을 먹고 나면 더 잠이 오게 되니 가끔은 고객과의 미팅이나 업무 중에 졸게 된다. 커피를 몇 잔씩 마셔도 쉽게 이겨내기 어려운게 시차다.

내 경우 30 대에는 거의 시차를 느끼지 못하고 살았다. 너무나 예민한 성격 탓에 비행기에서 잠을 전혀 자지 못했기 때문이다. 당시에 주요 출장지는 미국이었는데 역시나 10 시간 이상 태평양을 날아가야 하는 긴 여정이다. 그런데 생긴것과 다르게 얼마나 예민한지 한숨도 잠을 못잤다. 당시에 대한항공에는 기내에서 책을 빌려주는 서비스가 있었다. 승무원들이 카트에 책을 끌고 다니면서 빌려줬었다. 거기서 300 페이지가 넘는 책을 세 권은 읽어야 LA 공항에 도착을 하곤 했다. 도착을 하면 택시를 타고 사무실로 이동해서 오후 업무를 보고 현지 직원들과 같이 식사를 하고 그리고 호텔에 들어간다. 그러고 나서 잠이 들면 그나마 평상시와 거의 비슷하게 예닐곱 시간은 푹잤던 기억이 있다. 그렇게 자고 나면 별도의 시차 적응이 필요하지 않았었다. 그런데 그 이후에는 다만 몇 시간이라도 비행기에서 잠을 자다보니 시차 적응이 힘들어졌다. 비행기에서 잠을 안자면 좋은데 그럴 수가 없을 정도로 잠이 밀려오니 별 수 없었다.

얼마 전에도 독일 출장을 다녀왔다. 러시아 전쟁 때문에 편도 15 시간 비행을 하고, 내려서는 3 시간 택시를 타고 이동을 했다. 점심을 먹고 오후 내내 고객사와 미팅을 했고, 미팅이 끝난 후 호텔에 돌아와서는 직원들과 식사겸 맥주 한잔을 하고 방에 올라왔다. 방에 올라와서는 며칠 동안 입을 셔츠들을 다림질 하고 잠자리에 든 것이 밤 10 시 30 분이다. 15 시간이나 비행을 하고 4 시간 넘게 집중해서 미팅을 했으니 그리고 오랜만에 독일 맥주도 마셨으니 잠은 잘 자겠다고 생각했다. 착각은 오래가지 않았다. 새벽 1 시에 역시나 잠이 깨서 뒤척이기 시작했다. 스마트폰으로 유튜브를 잠시 보고 다시 잠을 청했다. 이래 저래 뒤척이다가 결국은 새벽 4 시에 컴퓨터를 들고 책상 앞에 앉게 된다. 그리고 더 이상 잠이 들지 못했었다.

많을 때는 일년에 유럽을 열 댓번, 그외 가까운 아시아 지역을 열 댓번 출장을 다녀봐도 역시나 적응이 안되는 것은 시차다. 시차 만큼 적응하기 어려운게 없는 것 같다.

회상과 희망

열심히 업계 동향에 대한 자료를 만들고 있었다. 자동차 업계에 새롭게 진입을 하려고 하니 경험이 많은 내 의견도 도움이 되지 않을까 해서 자료를 준비 중이다. 누가 시킨것은 없다. 난 별도의 팀을 가지고 있지 않은 일종의 고문 역할을 맡고 있어 이런 준비가 반드시 필요할 것이라고 느꼈었다. 내가 바라던 업무에서 그 분야가 소프트웨어에 한정되어 좁아지긴 했으나 그래도 원래 내 가 하던 전문 분야이니 큰 걱정은 없었다. 나름대로 해야 할 일들을 정리하면서 조만간 보고를 해야겠다고 생각하고 있었다. 그런데 갑작스런 회의 참석 요청이 들어왔다. 바로 위의 상사가 요청한 논의의 자리인데 내 의견을 묻고 싶다고 했다. 결국 사장에게 보고를 해야 한다는 것이다. 물론 준비를 하고 있었으니 어려운 부분은 없지만 여기도 작은 회사가 아니기 때문에 이미 이전 회의들이 있었는지 모른다. 그러니 조심스럽게 보고를 해야 한다. 오늘은 목요일, 차주 초에 보고를 하자고 했으니 이제 준비에 필요한 시간은 하루 정도 남았다. 그래서인지 오늘은 집중을 해서 준비를 했다. 오래 앉아 있어서 엉덩이가 아플 정도로 시간 가는줄도 모르고 준비를 했다. 잠시 쉬려고 웹브라우저를 열었다. 신문이라도 볼 심산이었다. 그런데 전 회사의 정기 인사 발표가 있었다. 사장이 다른 곳으로 가고, 새로운 사장이 선임이 되었고 모시고 있던 사업부장은 드디어 상무에서 전무가 되었다. 축하할 만한일, 기분 좋은 일이다. 물론 내가 떠날 때 기분 좋게 헤어진 것은 아니지만 축하해야 할 일이다. 아이들만 아니었다면 아직도 같이 일을 하고 있었을테니 말이다.

망설임없이 카톡을 열어 영전 축하한다고 건승하시라고 메시지를 보냈다. 그러고 보니 정기 인사 시즌이긴 했다. 상무 진급을 노리던 내가 아는 두 사람은 안타깝게도 낙방을 한 모양이다. 신문 기사에 이름이 안보이는 것을 보니 말이다. 기대를 했을텐데 아쉽긴 하겠다는 생각을 했다. 다른 그룹사들도 인사가 있었다. 내가 이전에 일하던 곳은 아직 정기인사가 없었다. 내일쯤 확인해 보면 또 영전 축하 메시지를 보낼 일이 생길 것 같다. 그룹사 중 한 곳은 대거 20 여명 가깝게 상무 진급을 했다. 대단하다 싶다. 한꺼번에 열명이 넘는 상무 인사라는 것은 좀처럼 보기 힘들었기 때문이다. 기분이 좀 묘했던 것은 나와 동갑내기 부사장이 꽤 생겼다는 것이다. 내 나이가 벌써 그렇게 됐나 싶었다. 그러면서 만약에 나를 다시 한국에서 상무 달아준다고 오라고 한다면 어떨까 하는 기분 좋은 상상을 해 본다.

연봉은 물론 여기보다 많다. 왜냐하면 대충 그들이 받는 연봉을 아니까 말이다. 여기서도 받는 대우를 이것 저것 합하면 아마 거기보다 적지는 않을 것 같긴하다. 만약에 연봉을 더 준다고 하면? 그래도 난 돌아가지 않을 것이다. 여기로 온 것은 나를 위한 선택이 아니었기 때문이다. 하늘이와 제리를 위한 선택이었으니까 말이다. 두놈 모두 제 학년에 맞춰 학교를 들어갔다. 그만큼 영어 실력이 된다는 얘기다. 한국에 있었으면 어려웠을텐데 제리는 해외 대학도 노려볼만하다. 제리는 한학년을 올려서 갈 수도 있다지만 고등학교 1 학년을 해외에서 반드시 처음부터 끝까지 마쳐야 하기 때문에 중 3 에 남아 있기로 하기도 했다. 하늘이는 성적이 안되어서 한학년을 내려서 다녀야 한다고 했으나 일주일 다녀보기로 한 것이 신의 한수였다. 선생님들이 제 학년을 다녀도 충분한 영어 실력이라고 인정을 해 줬기 때문이다. 이렇게 잘 하고 있는데 돈 몇푼에 다시 돌아갈 이유는 없는 것이다.

OOOoooOOO

독일로 1 년을 실장으로 발령을 받고 이동을 했다. 유럽 전역에 흩어져 있는 우리 조직들 중에서 개발을 맡은 인원들을 관리하면서 본사에서 하는 개발 업무를 지원하고 현지에서는 고객과 밀접하게 커뮤니케이션하는 그런 업무였다. 부장급 팀장에서 실장으로 승진을 한 것이다. 이름은 개발센터이고 내 직책은 센터장이었다. 영문으로 Director 발령을 받긴 했지만 내 아래에 현지인 Director 가 있는 관계로 명함에는 Senior Director 였다. 정기 인사 발령에서 받은 승진은 아니었지만 회사의 시스템에도 발령이 난 것이 공지 되었다. 어떻게 하는 것이 좋겠느냐는 인사팀의 연락을 받았을 때, 공지를 해 줘야 일을 할 수 있는 것 아니냐고 윽박지르듯이 해서 공지를 띄우긴 했지만 말이다.

개발센터가 원래 있었던 것이 아니라 새롭게 설립을 해야 하는 일이었다. 기존의 개발팀을 강화하는 것이 첫번째 임무였다. 여러 나라에 걸쳐 있는 개발 조직들의 규모가 조금씩 커졌다. 사무실을 확장하기도 했고 추가 인원을 채용하기도 했다. 필요하면 고객사와의 미팅에 직접 참석도 했더랬다. 없던 팀들도 만들고 필요에 의해서 한국에서 이민을 오고 싶어하는 엔지니어들을 일부 채용하기도 했다. 매주 금요일에는 400km 정도를 달려 오전에 고객과 미팅을 하고 점심을 먹고 다시 사무실로 돌아오는 일정도 소화해야 했다. 오스트리아에서 산학 관련 컨퍼런스가 있다고 해서 회사 소개를 들고가서 발표도 했고 회사내에서 MBA 과정이 있다고 해서 직원들을 대상으로 우리 비즈니스의 유럽 진출에 대한 교육도 맡아서 했다. 독일에 있는 그룹사의 대표들의 모임에도 나가서 친목을 다지기도 했다. 내가 대장은 아니었지만 우리 대장은 한국말이 서툰 한국인 2 세였다. 회사에서 윗분들은 검은머리 외국인이라고 부르기도 했다.

검은머리 외국인은 외국인보다 더 외국인 같았다. 겪어 보지 않은 사람은 모르리라 생각한다. 물론 사람마다 성향이 다르긴 하겠지만, 해외 생활을 하면서 겪은 많은 일들이 그리고 해외에서 만난 많은 한국인들이 하는 얘기가 정말 귓속에 콕 박히게 했다. "해외에서는 한국사람을 믿지 마라" 자신들이 한국인임에도 불구하고 저런 얘기를 당당하게 한다. 자신은 안 그렇다는 듯이 말이다. 하지만 나도 100% 공감하는 말이다. 물론 적정한 거리를 두고 관계를 가지면 괜찮지만 너무 가깝게 지내서는 안된다는 것이다. 하고 싶은 얘기가 너무도 많긴 하지만 한국인들 사이에 나도는 저 말 한마디로 이 이야기는 마치는 것이 좋겠다. 괜시리 내 입에서 역한 냄새만 날 것 같다. 더러운 것은 입에 담지 않는 것이 낫다.

독일에서의 1 년은 정말 짧지 않은 기간이었다. 해야 할 일들이 너무 많았다. 독일에서의 1 년은 프랑스에서의 4 년보다도 길게 느껴졌을 정도다. 스트레스의 정도도 꽤나 심했다. 직원들이 내가 괜찮은지 한번은 호텔방으로 찾아와 내 안부를 확인할 정도였다. 지금도 같이 했었던 직원들에겐 동지애가 느껴지기도 한다.

나에게 주어진 개인적인 시간은 퇴근을 한 후의 시간 그리고 토요일과 일요일 오전이었다. 그런데 주말 오전엔 별로 할 일이 없었다. 그리고 잠은 일찍도 깼다. 보통 6 시면 자동으로 눈이 떠졌으니 말이다. 그러면 주섬주섬 골프클럽을 챙겨 골프장으로 향한다. 여기 골프장이 당시에는 월회비만 내면 10 개 골프장을 무제한 사용할 수 있었기 때문에 운동삼아 다닌다고 월회비를 내고 있었다. 트롤리를 끌고 혼자서 18 홀을 돈다. 아침 시간에는 사람도 없어 내 맘대로 공을 치면서 다닌다. 배운적이 없는 골프다 보니 그냥 시간 때우기, 혹은 걷기 운동이었다. 18 홀을 돌고나면 처음엔 만오천보 정돌르 걸었고 나중에는 만이천보 정도가 된 것 같다. 물론 직원들과 나갈 때도 있었고 법인장들과의 모임도 가끔 있기는 했다. 처음엔 실력이 안되어 뛰어다니기 바빴는데 그래도 백돌이 수준은 되니 나름 재미를 느끼기도 했다. 그렇게 오전 시간은 운동을 하면 샤워를 하고 점심을 먹고 사무실로 향했다. 주간보고와 밀린 일들을 저녁때까지 하는 것이 내 주된 루틴이었다.

그렇게 1 년이 지나고 한국으로 돌아갈 때가 되었을 때에는 과연 나에게 어떤 업무가 주어질까 하는 약간의 희망 섞인 생각을 가지고 있었다. 그래도 여기서 실장을 달아줬으니 한국으로 돌아가면 그와 상응하는 실장급 대우를 당연히 기대하고 있었던 것이다. 그런데 이게 웬걸, 난 다시 팀장급으로 내려가 있었다. 이유는 몰랐다. 나를 원하는 조직이 없었던가보다. 개발쪽 업무를 하고 있었으니 한국의 개발조직에서 받아줬어야 하는게 맞는데 개발조직의 수장 모 전무는 나를 극도로 싫어하는 인물이었다. 그래도 자주 독일에서 봤으니 나를 불러주겠거니 하는 생각을 가지고 있었는데 나만의 착각이었던 것이다. 결국 나는 내 전임, 이전 회사의 사업부장이 불러줘서 미국의 고객들을 관리하는 조직의 팀장으로 귀임을 하게 되었다. 나쁘지 않았다. 하던일을 어느 정도 이어서 하는 것이니 말이다. 그렇지만 처음엔 기분이 좋지도 않았다. 한국으로 돌아온지 8 년 정도의 시간이 지났고 난 회사를 떠나 있기는 하지만 그때 같이 일을 했던 친구들은 아직도 나를 실장님이라고 부른다. 그러지 말래도 말이다. 이미 회사를 떠났으니 이젠 더군다나 마땅한 호칭이 없기도 하다.

같이 일을 했었던 친구들이 가끔 그립다.

짜증

새로운 나라에 적응을 한다는 것은 정말 쉽지 않은 일 같다. 음식에 적응하는데 생각보다 어려운 것도 나를 힘들게 했다. 하지만 가장 짜증이 났던 것은 언어 때문인 것도 있었지만 기질적인 면 그리고 대만의 법과 관련된 부분이 아니었나 싶다. 스쿠터를 빨리 사서 출퇴근을 편하고 싶은 마음도 있었다. 그런데 이 곳의 법은 스쿠터에 별도의 면허증이 필요하다. 별 수 없이 조금의 불편함을 감수해 내야만 했다. 사실 그리 어려운 문제는 아니었으니 짜증을 낼 이유는 별로 없었다.

나를 가장 짜증나게 만들고 목소리를 높이게 했던 것은 스마트폰을 개설하는 것이었다. 대만에서 일을 하기 위해서는 비자를 받아야한다. 그런데 여기 시스템은 거류증이라는 것에 비자가 함께 나오는 시스템이다. 한국서 비자를 받지 못하는 것은 정식 수교국가가 아니라서 그럴 수도 있겠다 싶지만 어쨌거나 거류증을 대만에 입국해서 받아야한다. 그러니 입국을 할 때는 90 일짜리 관광비자로 올 수 밖에 없다.

문제로 얘기한 스마트폰에 대한 사연은 이렇다. 대만에 도착하면 먼저 전화번호 부터 만들 생각이었지만 여행자 입장에서는 번호를 받을 수 없을 것이었다. 거류증이라는 외국인 등록증이 필요하다.

인사과 직원은 내가 출근하는 그 날 바로 거류증을 만들러 간다고 했고 바로 수일 내로 발급이 된다고 했다. 하긴 우리나라 같은 경우 신청하러 가면 바로 발급을 받는다고 했다. 그래서 짧은 기간 동안만 핸드폰을 어떻게 사용하면 될 것인지를 해결하면 되었다. 가장 쉬운게 선불유심카드를 사서 쓰는 것이라는 것을 어렵지 않게 인터넷에서 찾을 수 있었다. 공항에서 출국장을 빠져나가면 바로 구매할 수 있단다. 나 뿐만 아니라 모두가 필요하니 1 인당 500 대만 달러를 주고 10 일 짜리 4G 데이터 무제한을 구매했다. 혹시 모르니 넉넉한 기간과 데이터를 택했다. 전화번호는 필요없고 우리는 데이터만 사용하면 되니까 말이다. 해외에서 전화통화 할 사람도 거의 없으니 카톡과 인터넷만 되면 그만이었다. 우리는 토요일에 도착을 했고 월요일에 거류증 신청이 들어간다고 했으니 10 일짜리면 충분하다. 2 만원이 조금 넘는 가격이니 크게 부담스럽지 않았다. 한국 폰은 은행 업무 등의 인증과 관련된 것 때문에 해외에 살아도 유지를 해야 했다. 그래서 당분간 로밍을 할까 했는데 선불유심카드가 훨씬 저렴하고 좋은 선택이 된 것 같아 기분이 좋았다. 공항에서는 여권만 보여주니 금새 가족당 하나의 심카드를 받을 수 있었다. 역시 미리 검색해 보고 오길 잘했다고 생각했다. 그렇게 우리는 아무런 문제 없이 스마트폰을 사용하고 있었다.

그렇게 잘 사용하고 있는데 인사과에서 거류증이 2 주가 소요된다는 것이었다. 사내에서 서류 준비로 입사 후 3 일이 지나서 서류가 접수되었으니 며칠이 중간에 빈다. 결국 심카드를 추가로 사야했다. 짜증이 조금 나긴 했지만 별 수 없는 일이 아닌가? 이틀 정도를 남겨두고 회사 근처에 중화텔레콤으로 선불심카드를 사러갔다. 그런데 대만에서는 한 사람이 두 개의 전화번호를 가질 수 없다고 한다. 그러니까 기존에 쓰던 선불심카드의 기간이 만료되고 난 다음에 와서 심카드를 구매하라는 것이었다. 참 귀찮다. 기존 선불심카드를 취소하고 새로 15 일짜리를 구매하겠다고 했더니 그러지 말고 3 일 있다가 오라고 했다. 귀찮긴 했지만 혹시 모르니 며칠 이라도 더 쓰기 위해선 그게 나을 것 같기도 해서 그날은 그냥 돌아왔다. 사흘이 지나고 아침에 일찍 심카드를 사러 갔다. 가족들이 사용할 심카드도 사려고 했는데 각자의 신분증이 필요하다고 해서 내 것만 사긴 했다. 대만은 야간에도 업무를 보는 곳이 많아서 가족들 것은 저녁에 집에서 멀지 않은 곳에서 구매를 하면 되겠구나 했다. 그래서 내 것만 사려고 여권을 내밀고 심카드를 구매하는데 추가로 신분증이 필요하다고 말하더니만 추가로 신분증이 없어도 입국일자 스탬프가 찍힌 여권을 사용하면 된다고 했다. 큰 문제 없이 내 심카드를 샀다. 문제는 저녁때부터 꼬이기 시작했다. 신분증만 있으면 된다고 했기 때문에 저녁을 먹고 혼자서 집근처 중화텔레콤을 찾았다. 가깝다고는 했지만 15 분 정도 걸어야 하는 거리였다. 도착을 해서 가족들 심카드를 사러 왔다고 하니 신분증을 가지고 각자가 와야 한단다. 뭐 그럴 수 있겠다 싶다. 내가 생각이 짧았다. 산책을 할 겸, 가족들이 같이 나왔으면 쉬웠을 텐데 하고 돌아올 수 밖에 없었다.

다음날 저녁에는 가족들과 함께 다시 중화텔레콤을 찾았다. 내가 심카드를 살 때 처럼, 두 번째 신분증을 요구했다. 그래서 내가 심카드를 샀던 경험, 여권의 입국 스템프를 이용한 것을 얘기해줬다. 그런데 돌아온 대답은 "NO" 우리 지점에서는 그렇게 할 수 없다고 했다. 한국 신분증이라도 있어야 심카드를 살 수 있다고 했다. 다른 지점에서 내가 심카드를 살 때에는 신분증이 없이 구매했다고 해도 막무가네였다. 공항에서 심카드를 살 때도 여권만 내밀었다고 얘기해도 마찬가지였다. 그건 공항이라 그렇다고 했다. 다른 통신사 지점도 마찬가지냐고 했더니 친절히 알아봐 준다고 했다. 하지만 친절한 것과는 반대의 대답, 역시나 신분증이 필요하다고 했다. 집사람이 한국 신분증을 가지고 오지 않았기 때문에 만들 수 없었다. 그럼 학생들은 어떻게 하느냐고 이야기 했더니 거류증 얘기를 한다. 아직 거류증이 나오려면 시간이 필요하다고 얘기했다. 그랬더니 그때까지 심카드를 살 수 없다는 대답이 돌아왔다. 한참의 실갱이 끝에 돌아설 수 밖에 없었다. 법이 그렇다니 별 수 없었다. 이해가 되지 않았지만 별 수 있나. 결국 호짱은 그 다음날 한국 면허증을 들고 나와서 한달짜리를 샀다. 아이들에게는 바로 학생증을 신청하라고 말을 했다. 다음날 비서와 이런 저런 얘기를 하다가 내가 겪은 일을 얘기했더니 피싱같은 범죄 때문에 그런것 같다는 얘기를 했다. 물론 이해가 가지 않는 것은 아니지만 여행을 온 학생 같은 경우에는 어쩔까 싶기도 했다. 여권 외에 한국의 신분증을 과연 얘네들이 검증할 수도 없을텐데 말이다. 내 사정을 들은 비서가 아이들 쓰라고 심카드를 사다 줬다. 두 개는 못 산다고 한개만 사다 줘서 한 놈은 이 심카드를 쓰고 같이 학교를 다니니 스쿨버스에서는 테더링으로 같이 인터넷을 당분간 쓰기로 했다. 학교에 가면 학교 인터넷을 쓰면 되니 하나만 있어도 사실 크게 불편하지는 않을 것 같기는 했다. 그렇게 지내다가 내 거류증이 나왔다. 굳이 전화번호가 필요 없었기 때문에 느긋하게 있었는데 인사과에서 핸드폰 개통하러 같이 가자고 연락이 왔다. 같이 가 준다니 기다릴 필요가 없어서 같이 동행을 해서 폰을 개통했다. 499 대만 달러에 4G 데이터 무제한이다. 물론 2 년 약정을 했기 때문에 좀 싼 것 같기는 했다. 인터넷은 그렇게 비싸지 않아서 좋기는 했다. 그런데 전화번호를 받기 위해서는 2900 대만달러를 예치해 놔야 한단다. 우리와는 좀 다른 시스템이다. 그렇게 내 전화를 개통을 했다.

드디어 가족들에게도 거류증이 나왔다. 호짱은 혼자서 개통을 하러 가도 되는데 마침 회사에서 면허증 교환을 위한 신체 검사가 있다고 차를 보내준 날이 있었다. 메디컬 체크가 끝나고 회사 근처 중화텔레콤 앞에 내려 달라고 했다. 호짱이 혼자서 만드는 것보다 내가 같이 해 주는게 낫겠다 싶었다. 비서가 같이 와 주겠다고 했는데 우리가 먼저 도착을 해서 호기 있게 개통을 진행하고 있었다.

혹시나 했는데 역시나 문제가 발생했다. 거류증을 받은지 며칠지 이미 지나서 만료일까지 1 년이 채 안남았기 때문에 그 기간만큼만 폰을 사용할 수 밖에 없어서 전화번호를 받을 수 없다고 했다. 다른 방법이 없냐고 물어봤더니 없다고 했다. 선불 심카드 가격표를 보여주면서 제일 긴 180 일 짜리를 계속해서 사용하는 수 밖에 없다고 했다. 열이 나기 시작했다. 내가 지난 주에 여기서 핸드폰 개통을 했다. 내 거류증도 집사람과 같은 기간이다. 그런데도 2 년 약정을 했다고 말을 했더니 내 거류증은 비지니스용이라 가능한거고 집사람은 그게 아니라 불가능 하다고 했다. 속에서 열불이 났다. 목소리도 점점 높아지고 말이다. 별 수 없이 비서에게 SOS 를 쳤더니 벌써 문 밖에 와 있다고 했다. 비서와 통신사 직원과는 무슨 얘기가 오고 갔는지 모르겠지만 결국 나와 같은 조건에 2 년 약정을 했다. 여기서 사는게 쉽지는 않겠다는 생각이 든다. 혹시 몰라 아이들 서류들도 작성해 놓고 다음에 아이들 데리고 와서 계약을 진행하면 어떻겠느냐고 했더니 그렇게는 안된단다. 그리고 이 지점은 주말에 일을 하지 않으니 주말에 집 근처에 있는 지점에 가서 개통을 하라고 했다. 오늘처럼 말이 안통하는게 걱정된다고 하니 집사람이 개통했던 서류에 메모까지 친절하게 해 주면서 이걸 내밀면 될꺼라고 했다. 그러면 쉽겠구나 했다. 아이들도 거류증이 각각 나왔으니 여권과 신분증만 내밀면 되는 것이었다.

마지막이 될 것이라고 생각했던 아이들의 전화 개통은 주말에 이어졌다. 본인이 와야 개통이 된다고 하니 별 수 없었다. 우리로 얘기하면 위임장이 있으면 된다고 했다. 위임장을 만들려면 도장이 필요하다고 도장이 있느냐고 물어봤는데 굳이 도장을 찾을 필요 없이 아이들과 토요일에 산책겸 집 근처 매장에 가서 해결하면 될 일이었다. 그래서 토요일 우리는 점심을 먹고 산책겸 매장을 찾았다. 전날에 받아 놓은 서류와 아이들 신분증 혹시 몰라 내 거류증과 여권까지 챙겨갔다. 아니나 다를까 내 여권과 거류증을 보여달라고 했다. 그런데 서류를 작성하는가 싶더니 애들 전화번호를 줄 수 없다고 했다. 전화 때문에 대리점에 도대체 몇 번째 오는 것인지? 이번이 마지막이라고 생각을 했는데 또 뭐가 안된다는 것인지 이해가 안갔다. 아이들과 내 관계를 알 수 없다는 것이었다. 그러니 평일에 오라고 했다. 그래서 폰에서 영문으로 된 가족 관계 증명서를 꺼내서 보여주면서 여기에 증명서가 있다고 했다. 한국에서 발급 받은 것은 안된다고 했다. 상사에게 확인해 보겠다고 전화를 들고 어디론가 사라졌다가 돌아왔다. 안된단다. 평일날 오라고 했다. 개인정보인데 확인을 당신들이 할 수 있느냐고 물어봤다. 그 뿐만이 아니라 다른 지점에서 된다고 해서 왔는데 왜 그러느냐 다시 확인해 보라고 했다. 안된단다. 영어가 짧은 친구 둘이서 나 때문에 쩔쩔 매고 있었다. 구글 번역기를 이용해서 서로 소통을 했다. 정말 기분이 언짢았다. 아이들 선불심카드 살 때도 여기에 왔었는데 그때는 이런 얘기가 없었다. 물론 선불심카드를 결국 사진 못했지만 말이다. 한참을 기다리고 있는데 이번엔 영어를 좀 하는 친구를 데려 온 모양이었다. 그 친구 얘기는 더 가관이었다. 대만 법에서는 외국 미성년 학생들은 전화번호를 가질 수 없다고 했다. 화가나서 선불 유심카드도 못사느냐고 물어봤더니 안된단다. 그럼 어떻게 공항에서 우리가 샀었느냐고 물어봤더니 공항에 확인해서 알려주겠다고 했다. 법이 바뀌었다고 했다. 젠장, 대만 입국한지 한달 밖에 안되었는데 벌써 법이 바뀌었나보다 싶었다. 확인하겠다고 해 놓고 10 분 이상이 지났는데도 이 친구들이 아무말 없었다. 그래서 확인했느냐고 했더니 본인들은 더 해 줄 수 있는게 없다고 했다. 확실히 얘네들 영어 소통에 문제가 있긴 있구나 했다. 결국 서류를 들고 집으로 돌아올 수 밖에 없었다. 아이들 친구들은 모두 핸드폰을 가지고 있다고 했다. 정말 법이 바뀐건가? 주말 오후 기분좋게 나갔던 산책에서 열만 받아서 돌아오고 말았다.

OOOoooOOO

프랑스에서 3 년하고도 6 개월이 되었을 때, 본사에서 연락을 받기 시작했다. 4 년으로 되어 있던 계약기간을 연장해야 한다고 했다. 회사의 규칙도 모르는 나는 내 사정을 가지고 2 년 연장을 요구했다. 그래야만 장군이가 고등학교를 졸업하고 한국으로 돌아갈 수 있었다. 4 년을 마치고 돌아가면 프랑스에서는 고등학교 1 학년을 마치고 돌아가는 것이다. 여름에 고등학교 1 학년을 마치게 된다. 그러면 한국에는 고등학교 2 학년 2 학기로 전학을 하게 된다. 올 때, 중학교 1 학년을 1 학기를 마치고 왔는데 여기서는 가을학기이기 때문에 다시 중학교 1 학년 1 학기를 다시 공부했기 때문이다. 2 학년 2 학기로 한국에 돌아가면 그때부터 해외체류자특별전형 준비를 1 년 정도하고 고등학교 3 학년 1 학기를 마치는 시점에서 대입을 치르게 되어 있다. 그러니 4 년을 마치고 돌아가면 딱 맞는다. 그렇지 않으면 아예 프랑스에서 고등학교 졸업장을 갖고 한국에 돌아가서 대입을 준비하는 방법이 있다. 그러려면 최소 2 년은 여기 프랑스에 있어야 한다는 계산이었다.

인사팀에서는 난색을 표명하며 1 년 밖에 연장이 안된다고 했다. 내규상 2 년 연장은 안된다고 미안해 했다. 그렇다면 난 1 년 연장은 힘들고 6 개월만 연장을 할테니 후임자를 찾아달라고 했다. 6 개월을 연장하더라도 가족들은 먼저 한국으로 보낼 생각이었다. 왜냐하면 역시나 대입 준비를 해야 하는 장군이 때문이었다. 기분이 좋지는 않았지만 회사 내규가 그렇다는데 나도 마땅히 할 말이 없었다. 한번에 최대 1 년, 최대 2 회까지 연장을 할 수 있어서 최대 2 년 연장하는 것이 내규인데 한번에 1 년 연장을 하고 나서 나중에 1 년 추가 연장을 협의하자는 것이었지만 미래를 불확실성위에 놓고 싶지 않았다. 회사에서도 후임을 뽑아야 하는 시간이 필요할터이니 6 개월 연장을 하기로 하고 인사팀과 협의를 마쳤다.

6 개월 연장에 대해서 결론을 내리고 마음을 비우고 있을 때, 독일로 이동 제안을 받고 독일로 이동을 하게 된다. 독일에서는 추가 6 개월, 그러니 한번에 최대 1 년씩인데 6 개월씩 두 번 연장이 된 것인 듯 했다. 독일에서는 개발센터장으로 이동을 했으니 승진인데 이왕 해 주는거 2 년 연장을 해 줬으면 좋으련만 하는 생각을 한번하고 그 일은 잊고 있었다. 그런데 어느날 이상한 얘기가 들려왔다. 한 친구가 2 년 연장을 했다는 소식이 들려온 것이다. 인사팀에서는 한 번에 최대 1 년이라고 했는데 2 년을 연장한 친구가 있었다. 해외에 살고 싶어하는 친구라서 축하를 해 주었다. 능력이 출중한 친구였다. 누구나 인정하는 친구였다. 하지만 나로서는 기분이 살짝 나빴다. 물론 그 친구의 능력이 탁월해서 그럴 수도 있겠다 싶긴 했지만, 승진을 시켜줄 정도 가지고도 난 연장이 안되는지 의문이 들었다. 그것도 백여 명이 넘는 직원을 통솔하는 자리에 앉히면서도 2 년 연장이라는 것을 들어줄 수 없었는가 하는 의문 말이다. 빽이 있었으면 2 년 연장을 해서 여기서 가족들과 함께 살 수 있었지 않았을까 하는 생각을 하게 된다. 물론 내 능력이 부족해서라는 것을 알고 있으면서도 당시에 상황을 생각하면 짜증이 나는 것은 어쩔 수 없다.

첫 귀향

한국으로 돌아가는 비행기에 타고 있다. 가족들은 엊그제 벌써 출발해서 아이들은 스키를 타고 호짱은 그런 애들을 실피고 있다. 대만은 크리스마스가 휴일이 아니다. 당연하게도 난 쉬는 날인 줄 알았다. 한국이 그렇고 프랑스가 그랬다. 그리고 독일도 그랬다. 당연하다고 생각해서 크리스마스가 있는 주에 한국에서 보내기 위해서 항공권을 끊었다. 가족들은 21 일에, 난 토요일인 23 일로 티켓을 끊어뒀었다. 아무래도 일주일 이상 휴가를 쓰는 것은 눈치가 보였기 때문이다. 그런데 웬걸 일복이 터지기 시작했다. 크리스마스를 앞둔 바로 전 주에 이런 저런 보고꺼리가 생기더니 월요일인 크리스마스를 제외하고는 모두 회의가 잡혔다. 휴가를 쓰는게 아니라 한국서 재택근무를 하게 된 것이다. 사장님한테까지 보고를 하는 일정도 잡혔다. 한국 같으면 휴가 반납하고 보고를 하는게 맞는다. 여기도 별반 다르진 않을 것 같긴하다. 그래도 이왕 비행기 티켓까지 산 마당에 안갈 수는 없다고 생각했다. 그래서 온라인 보고를 하기로 했다. 사실 내가 온라인 보고를 하겠다고 한 것도 아니고 부사장이 온라인 보고가 가능하겠느냐고 해서 수락을 한 것이긴 하다. 부시장까지 나서서 온라인 보고를 하라고 하는데 못할 이유가 없다. 한국 같았으면 부사장이 휴가 취소하라고 난리를 치지 않았을까 생각을 해 본다. 여기도 휴가를 반납하는게 맞는데 난 외국 놈이라고 예외를 뒀을 수도 있지 않을까 하는 생각이 들기도 한다만 이젠 엎질러진 물이라 어쩔 수 없었다.

그렇게 보고 때문에 잠시 생각에 잡혀 있을 즈음, 골드카드가 발급된다는 소식이 들려왔다. 여기 대만에서는 별도로 여권에 붙이는 비자가 없는 대신에 거류증을 받으면 된다. 거류증에 여러번 대만을 들어올 수 있다는 문구가 새겨져 비자를 대신하게 된다. 거류증은 매년 갱신을 해야하만 한다. 그런데 골드카드라는 놈을 알게 됐다. 이 놈은 해외 인재를 채용하기 위해서 도입한 것이라고 한다. 내가 인재인지는 모르겠으나 등록을 하면 여러가지 혜택이 있다고 해서 신청을 했는데 한달만에 심사에서 통과했다는 연락을 받은 것이다. 특혜라는 것을 일부 세금에 대한 혜택이 있고 거류증이 1 년마다 갱신을 해야하는데 이놈은 최장 3 년까지 신청을 할 수 있다고 해서 3 년짜리를 신청했다. 일부 세금도 감면해 둔다니 신청을 하지 않을 이유가 없었다. 하지만 절차가 꽤나 복잡하고 준비해야하는 서류가 많기는 했다.

좋은 소식은 겹쳐서 오는가보다. 면허증도 발급이 된다는 소식을 들었다. 호짱이 대만으로 돌아오면 여권과 함께 비용만 준비되면 바로 발급이 된다고 한다. 몇 안되는 한국인 동료가 소개해 준 중고차 매매상도 오늘 만나고 왔다. 한국에 두고온 내 차보다 1 년이나 더 된 오래된 E 클래스다. 흰색이고 나름 깨끗하다. 조만간 다시 가서 시승을 해보기로 했다. 큰 몸살도 알았다. 갑작스레 날씨가 추워져서인지 컨디션이 좋지않더니만 오한과 함께 몸살이 왔다. 다행히 어제 저녁에 약국에 가서 약을 조제해 왔다. 한국에서 의약분업 이전에 약국에서 의사의 처방 없이 약사가 약을 조제해 주던 방식이다. 8 시간 마다 약을 먹어야하는데 빨리 나으려고 어제 저녁먹고 한번 자정 즈음에 한번을 또 먹었다. 다행히 아침이 되서는 오한이 사라져 오전엔 차도 보고 왔고 오후가 되어선 귀국길에 오르는 중이다.

아이들과 집사람은 이코노미로 한국행 티켓을 끊어줬는데 난 티켓이 없어서 비즈니스를 타고 간다. 보너스 항공권이라 자리의 여유가 없다고 호사를 누리는 것이다. 나만 비즈니스 탄다고 몸살이 왔나 싶기도 하다. 짧은 두 시간 비행이다. 이제 비행기가 착륙을 하려나보다.

OOOoooOOO

물리적 거리만큼이나 심리적 거리라는 것이 분명히 있다. 대만과 한국은 멀지 않다. 비행기로 두 시간 남짓이니 차로 이동을 한다면 서울과 대전 정도를 가는데 걸리는 시간이다. 그래서 부담없이 항공권을 예약하고 다니겠노라고 가족들에게 얘기를 했었다. 티켓 가격도 쌀 때는 30 만원대 초반에도 있는 것 같으니 우리 호짱과 하늘이와 제리와 함께 저렴할 때 기준, 왕복 120 만원이면 오고 갈 수 있다. 물론 적은 돈은 아니지만 그렇다고 아주 큰 돈도 아니다. 이렇게 생각할 수 있는 것은 유럽에 살았을 때를 기준으로 해서 그럴 수도 있다. 인천공항에서 파리 샤를드골 공항까지는 12 시간 남짓, 항공권은 저렴할 때를 기준으로 140 만원 정도 했다. 당시에는 장군이까지 모두 다섯이 한국으로 와야 하니 한번 다녀 오려면 7 백만원이라는 거금을 항공권 비용으로 써야만 했다. 비용도 비용이거니와 거리가 있어서 한번 다녀오려면 큰 결심을 해야 한다.

나야 가끔 한국으로 출장을 다녀올 일이 있었다. 자주 불러주지는 않았지만 업무상으로 일주일 정도씩 몇 번을 다녀왔다. 보통 주말을 끼고 다녀오기 때문에 개인적인 일도 볼 수 있었다. 우리 가족이 한국으로 첫 나들이를 한 것은 아버지의 칠순에 즈음해서였다. 준비는 한참 전부터 하긴 했다. 인터넷을 통해서 잔치를 할 곳을 고르고 한국에 있는 동생에게 상의도 하면서 말이다. 한복도 빌려야 했고 사진을 찍어줄 분들을 수배하기도 했다. 물론 우리 가족들의 한국 방문에 대한 계획도 함께 세워야 했다. 당시에도 항공권을 구매하지 않고 모으고 모았던 항공사 마일리지를 사용해서 다녀오기로 했다. 아무래도 아낄 것은 아끼는 것이 좋으니 말이다. 운이 좋았던지 나는 한국으로 출장을 다녀올 일이 있었다. 그래서 나를 제외한 넷의 항공권을 마일리지로 끊게 되었다. 하지만 안타깝게도 표를 구하는 것이 쉽지는 않았다. 아시아나 항공 프랑스

지사의 도움이 없었다면 말이다. 인터넷 사이트에 들어가 우리가 원하는 일정대로 항공권을 알아보니 여유 돌아올 때는 있었는데 문제는 한국으로 들어갈 때 네 자리가 없었고 두 자리 밖에 남아 있지 않다는 것이다. 앞뒤로 며칠을 살펴봐도 자리가 없었다. 그렇다고 어린 아이들과 호짱을 따로 보낼 수도 없는 일이라 아시아나 항공으로 전화를 했다. 혹시나 하는 마음으로 말이다. 사이트에서야 없지만 혹시나 전화를 하면 무슨 방법이 있지 않을까 하는 기대를 조금 가지고서 말이다. 사정을 이야기 하고 어떻게 하면 좋겠느냐고 물어봤다. 마일리지로 끊어야 하는 티켓이 없다는 얘기는 예약이 꽉차서 자리가 아예 없다는 것이라고 알고 있었다. 예약이 취소되면 알려달라고 하려는 목적도 있었다. 상담사는 내가 모르는 얘기를 해 줬다. 일반적으로 구매할 수 있는 자리와 다르게 마일리지를 이용한 보너스 항공권의 경우에는 미리 사용할 수 있는 좌석의 숫자가 정해진다고 했다. 그래서 모든 좌석의 예약이 꽉 찬 것이 아니라 마일리지 항공권의 자리가 없는 것이니 최악의 경우에는 일부는 마일리지 항공권으로 구매를 하고 일부는 구매하는 것이 좋겠다고 했다. 한가지 팁도 알려줬는데 가려는 날짜 보다 이후로 마일리지 항공권을 예매를 해 놓고 자주 확인을 하면 마일리지 항공권의 자리가 남는 경우가 꽤 있다고 알려줬다. 무료인 마일리지 항공권의 쟁탈전이 심하기 때문에 미리 예약을 해 둔 사람들이 사정상 취소를 하거나 일정을 바꾸는 경우가 많기 때문이라고 했다. 그렇게 통화를 한 일주일 정도만에 난 마일리지를 통해서 내가 원하는 날짜에 예약을 할 수 있었다. 한국으로 갈 때는 비즈니스 돌아올 때는 이코노미로 말이다.

그때도 난 며칠 후에 따로 출장길에 올랐다. 업무차 한국으로 가는길이지만 업무를 빨리 마치고 휴가도 며칠 사용하겠노라고 하고 말이다. 그렇게 아버지 칠순에 맞춰 우리 가족은 한국에서 좋은 시간을 보냈다. 가족들이 함께 한복 렌탈샵에 가서 한복을 입어보던 기억, 지금은 대학생이 된 조카가 한복을 입고 웃는 모습, 꼬맹이들이 한복을 입어보고 기분 좋아하던 모습들이 생생하다. 물론 칠순도 잘 치렀고 지금도 고향에 내려가면 당시에 찍은 사진이 보기 좋게 벽에 걸려있다.

적응, 그 두번째

일년에 한번씩은 크게 몸살을 앓는다. 증상은 코로 부터 온다. 예민해지는 것인듯 싶기는 한데 이상한 냄새가 나는 것 같다. 그리곤 목이 아파온다. 그러니 공기가 탁하다 그래서 그런지 목이 아프다고 생각을 하는 것으로 시작을 한다. 기침이 나기 시작하고 온몸에 힘이 빠지고 나른해지다가 결국 아파온다. 오한이 난다. 그렇게 사나흘을 앓는다. 매연이 심하네 그래서 그런지 조금 목이 아프다는 생각이 든 것은 지난 목요일 쯤이었다. 사실 정말로 매연이 심하다고 생각을 했다. 그도 그럴 것이 퇴근시간이면 올라가는 우버 택시 값이 아깝다면 아까워서 며칠 걸어서 퇴근을 했다. 덕분에 집 근처 치킨집도 하나 뚫었다. 그나마 향신료가 덜 들어가 아이들 평이 괜찮았다.

기껏해야 택시비는 편도에 팔천원이 안됐지만 하루에 두 번을 타야 한다. 그래서 사실은 아깝다는 생각이 들기도 했고 퇴근 시간에 우버를 부르면 20분은 기본으로 기다려야 했기 때문에 걷기도 했다. 어차피 집까지는 걸어서 40 분이 채 걸리지 않기 때문이다. 퇴근길에는 오토바이가 엄청나다. 물론 매연도 꽤 심하다. 베트남에서는 이런 오토바이로 인한 매연 때문에 전기 오토바이로만 판매를 한다는 뉴스를 들은 것 같기도 하다. 그래서 목이 아프겠거니 했다. 그런데 웬걸 금요일이 되니 조금 어지러운가 싶더니 컨디션이 안 좋아졌다. 금요일에 회식 얘기가 있었다. 나를 환영해 준다고 부사장들과 이사가 참석한다는 자리여서 빠지기도 어려운 자리였다. 별수 없이 죽기 아니면 까무러치기로 회식에 나가야 하나 하는 생각도 했다. 다행히 회식은 취소가 되었다. 5 시까지 회의가 진행되었는데 미팅이 끝날 조짐이 보일 때 쯤 미리 우버를 불러 뒀다. 그렇게 서둘러 집에오니 5 시 40 분! 약간 오한이 나는 듯 하기도 하고 입에서는 '아이구 아이구'하는 신음이 나왔다. 올 것이 온 것이다. 주말은 별수 없이 침대에서 지내든지 그리 심하지 않다면 그냥 집콕을 해야 하는 상황이 된 것이다. 이젠 몸과 마음이 모두 상황에 적응한 듯 하다. 마음이 적응을 했다고 해도 몸은 그렇지 않다. 몸은 적응하는데 더 시간이 걸린다. 그나마 가족들과 함께 있어 적응하는데 채 한달이 안 걸린 것 같다. 아프기도 했지만 적응을 한 것 같아 기분은 좋다.

첫 월급도 나왔다. 꽤 많은 액수가 나왔다. 아직 명세서를 봐야겠지만 한달치 급여와 그외에 회사 지원금이 한꺼번에 나온터였다. 내 급여와 함께 아이들 학비의 일부가 나왔을 것이고, 이사 지원금, 정착지원금이 조금씩 나와서 그런지 꽤 액수가 컸다. 월급을 받기 전까지도 그리고 월급을 받고서도 호짱은 우리가 대만에 정착한 것에 대해서 어떤 작은 의심을 갖고 있었다고 했다. 사기가 아닐까 하는 그런 의심 말이다. 워낙 흉흉하게 듣던 얘기가 물론 대만은 아니지만, 중국에 취업을 해서 잠깐 일을 하다가 쫓겨

났다는 그런 뉴스를 많이 들은 탓이다. 이 의심에 대해서 호짱은 아마 꽤 오랜 시간이 지나도 여전하지 않을까 싶다. 이런 의심 때문에 나도 처음 인사팀과 협의를 할 때, 최소 계약기간 명기를 요청하기도 했다. 아쉽게도 그런 조항은 없다고 해서 단서를 넣지는 못했지만 말이다. 하지만 나로서는 내가 여기서 해야할 많은 일이 있음을 느끼고 있다. 비즈니스를 키우는데 한 몫을 하게 된다면 그리고 내가 담당해야 할 소프트웨어 분야에서 여기서 기여를 한다면 그런 의심 또는 의문은 더이상 갖지 않아도 될 것 같다.

OOOoooOOO

대만으로 이동을 하고 첫 독일 출장을 간다. 한국을 떠나서 해외에서 일을 하고 싶다는 생각을 했을 때는 이미 여러차례 앞서 이야기 한 바와 같이 아이들의 교육문제가 전면에 있었다. 거기에 한가지를 더하자면 일하는 문화 자체가 마음에 들지 않았다. 특히 경력이 쌓여 가면서 임원급들의 일하는 방식을 이해하지 못하는 경우가 너무 많았다. 이해를 못하는 정도가 아니라 싫었다. 한 회사의 임원씩이나 된 사람들이 직접 하는 일은 거의 없고 지적질이 난무했다. 일부는 자기 아랫사람을 종부리듯이 하거나 인격을 무시하는 언사도 서슴지 않는 경우도 있었다. 물론 이것은 극히 일부에서 일어난 일이다. 특히 내가 생각하기에 가장 큰 문제는 의사결정을 못하고 위로 올리는 부분이다. 거기에 임원이 본인의 상사에게 보고를 하는데 바로 아랫사람도 아니고 저 아래 실무급에게 발표를 시키는 일도 대부분이었다. 일부는 본인의 조직에서 발표를 하는데 윗사람 앞에서 보고가 잘못되었다고 꾸짖는 얼척없는 일도 정말 많았다. 그나마 탑 레벨이 머리가 좋아서 운영이 되는 것이 아닌가 하는 의심까지도 들 정도였다. 회사가 크다보니 임원이 일을 못해도 일이 돌아가는 면이 있다. 저 임원만 좀더 일을 하면 비지니스가 더 커질텐데 하는 경우도 참 많았고 어떤 경우는 저 임원만 없으면 참 좋을텐데라는 얘기를 아랫 사람들이 너무나도 많이 한다는 것이었다. 그런데 조직이 개편이 되거나 하면 항상 더 최악의 케이스가 임원이 되는 경우가 많았다. 일을 하지 않는 것도 꼴보기 싫었는데 나이 어린 친구가 임원이 되면 본인이 나이도 더 많은 것처럼 나이 많은 아랫사람에게 업무가 아닌 일로 훈계를 하는 경우도 보고 싫었다. 업무에서 잘난체 하는 것이라면 그러려니 해줄텐데 지가 인생 선배인 마냥 조언을 해 주는 것을 보면 쥐어박고 싶은 경우가 한두번이 아니었다.

출장을 가면 특별 대우도 해 줘야 했다. 차를 렌트해서 항상 상석에 앉혀야 한다. 이런 부분이야 동방예의지국에서 당연히 해 줘야 하는게 맞다고 생각한다. 그런데 캐리어도 대신 끌어줘야 한다. 공항까지 나가서 픽업해 가지고 와야 하고 돌아갈 때는 공항까지 바래다 주고 체크인을 하고 시큐리티 체크에 들어가 뒷모습이 보이지 않아야 난 돌아설 수 있었다. 그 뿐만이 아니라 주말에도 의전이라는 것을 해야 했다. 내가 업무적으로도 저들보다 못하다고 생각하지 않는 부분이 많은데 얼라도 아니고 뒷치닥꺼리를 하는게 마땅치 않았다. 그러니 그걸 본 친구들이 주재원인 나에게 전화를 걸어 누구누구 연구원인데 호텔로 데리러 와 달라고 연락을 하지 않았겠나 싶다. 본인의 자리에서 본인의 직책에 맞는 일을 하는 회사로 가고 싶었다. 나이가 많아서 지금의 직장에서 더이상 승진을 할 수 없다는 것도 크진 않지만 한 몫 한것은 사실이다. 물론 이보다는 아이들 교육이 먼저였다. 아이들 교육이 먼저가 아니라면 더럽고 치사해도 목구멍이 포도청이라 그냥 남아 있었을 확률이 100%다.

출장을 간다. 이코노미를 타고 10 시간 넘게 갈 것을 생각하면 짜증이 난다. 그래서 혹시나 이 회사는 6 시간 이상 비행을 하게 되면 비지니스 클래스를 태워주지 않을까 하는 기대를 조금하기도 했으나 그냥 이코노미라고 했다. 한국보다 훨씬 짰다. 그나마 난 디렉터급, 한국으로 얘기함 이사급인데도 이코노미란다. 꽤나 피곤하겠구나 생각을 했다. 회사의 소프트웨어를 대표하는 사람으로 비즈니스를 경험해 본 비즈니스에 대한 고문 격으로 참석하는 미팅이다. 그런데 알고 보니 중화항공에는 프리미엄 이코노미가 있다고 그걸 태워준다고 했다. 항공사 홈페이지를 일반 고속버스가 아니라

우등고속버스 정도의 좌석인 것 같았다. 그나마 팀장급 이하는 일반 이코노미라 약간 미안한 마음이 들기도 했다. 비지니스를 타려면 부사장급은 되야 된다고 했다. 생각보다 짜다고 생각을 했다. 여기는 별도로 회식비도 없다. 부서 회식이란게 공식적으로 없는 것 같았다.

출장을 같이 가는 사람은 모두 12 명, 1 명이 부사장급, 나를 포함한 4 명이 이사급 나머지가 팀장급 이하다. 재미있는게 집에서 공항까지 픽업서비스를 해 준다. 내가 처음으로 차에 올랐고, 차는 이동을 해서 두 명을 더 태우고서 공항으로 이동을 했다. 그렇게 공항에서는 3 명이 같이 체크인을 하고 탑승까지 같이 움직였다. 그리고는 각자 자리에 흩어져서 15 시간이나 비행을 했다. 나도 그렇게 이코노미에 탄 것이 싫었는데 저들은 어떨까 하는 생각을 잠시 했다. 자리가 편하긴 했는지 꽤 오랜시간을 골아떨어져 있었다. 하지만 이내 엉덩이가 아파서 힘들었다. 몇 번을 뒤척이다가 도착을 했다. 너무나 피곤했다. 도착을 해서 비행기에서 내리니 일부 인원이 우리를 기다리고 있었다. 모두 모여서 밖으로 나가는데 이미그레이션의 줄이 길기도 길거니와 시간도 오래 걸리는 듯 싶다. 아무래도 여권 파워가 한국만큼은 아닌 듯 했다. 한사람 한사람 심사하는데도 시간이 오래 걸렸다. 길고 긴 줄이 줄어드는데 이렇게 시간이 오래 걸린적이 있었나 싶었다. 어딜가나 약간씩 다르긴 하지만 직급에 따른 차별은 존재했다.

적응이 필요한 것은 오후 내내 이어지는 미팅이 끝나고 호텔에 도착해서였다. 저녁은 같이 모여서 먹을 것으로 단순하게 생각을 했는데 내 생각과는 좀 달랐다. 하루에 사용할 수 있는 일비라는 것을 주고 그 내에서 각자 사용하는 시스템이었다. 하루에 60 유로를 주고 먹고 마시고 하는 것은 자율이란 얘기다. 대만 친구들이 점심에 도시락이나 편의점 음식을 많이 활용하는 것은 잘 알고 있었다. 일본 스타일이다. 여기 대만은 우리와 같이 일본의 식민지로도 있었으면서 우리와는 다르게 일본을 좋아한다. 편의점 사용은 일본과 비슷한 수준이 아닐까 싶기도 했다. 그런데 그게 출장 와서도 편의점을 이용하는 것이었다. 그날은 이랬다. 12 명의 출장자가 같은 호텔에 묵고 있는 관계로 밴 택시 두 대에 나눠타고 호텔로 돌아왔다. 돌아오자마자 다들 약속이나 한 듯이 침묵을 하면서 방으로 흩어진다. 방으로 가는 친구들에게 물었다. 저녁은 어떻게 할 건지 말이다. 돌아온 대답은 슈퍼마켓에 간다고 했다. 일부는 이미 방으로 들어갔고 일부 인원들은 내와 한 친구와의 얘기를 들었는지 말았는지 모두 흩어지고 덩그러니 나만 남았다. 한국 사람에겐 혼자 밥먹는 것도 반길일은 아니지만 대충 슈퍼마켓에서 사다가 때우는 것도 그다지 달갑지 않은게 사실이다. 별수 없이 짐을 내려놓고 터덜터덜 슈퍼로 가서 물과 생전 처음 보는 작은 사발면, 과자 한봉지를 들고 돌아오는데 짜증이 났다. 참 문화가 다르기도 너무 다르다 싶다. 그렇게 2~3 분 거리에 있는 수퍼에서 들어오는데 부사장과 한 친구가 같이 밥을 먹으러 간다고 한다. 같이 가자고 했다. 내가 혼자서 방에서 먹고 싶은 것과 억지로 혼자서 먹어야 하는 것은 다르다. 그날은 이상하게 밖에서 먹고 싶었다. 두 친구들에겐 미안하긴 했다. 내가 낌으로 인해서 영어로 얘기를 해야 하니 말이다. 호텔 근처에 이탈리안 레스토랑이 있어서 간단하게 스파게티와 맥주 한잔을 했다. 독일에 왔는데 맥주 한잔은 해 줘야 하는게 아닌가? 그렇게 먹고 계산을 하는데 당연히 더치페이를 하겠거니 예상은 했지만 역시나 더치 페이, 합해서 5 만원 정도 되는 돈인데도 더치페이다. 하긴, 회사에서 개인별로 지원을 해 주고 부사장이라고 해도 별도 지원되는게 없으니 더치페이가 당연하다. 전 회사에서는 실비로 식사를 했다보니 그것도 괜시리 서운했다.

그렇게 닷새가 지나고 오늘은 토요일이다. 가족들은 대만에서 새로 장만한 차로 바닷가 여행을 하고 있다고 한다. 평상시처럼 일찍 잠에서 깬 나는 평소보다 30 분 늦은 7 시 30 분에 호텔 조식을 먹으러 내려갔다. 아무도 없었다. 주말에는 8 시부터 아침이 제공된다고 한다. 매니저로 보이는 나이가 있어보이는 직원이 벌써 동료들은 차를 끌고 떠났다고 한다. 어디론가 여행을 갔나보다. 8 시가 조금 넘은 시간, 다시 레스토랑으로 내려왔을 때는 다른 무리들이 식사 중이었다. 뒤셀도르프로 간다고 했다. 쇼핑을 하러 그쪽으로 간다고 하기에 독일 국경을 넘어 조금만 가면 유럽에서 유명한 아울렛이 있다고 소개시켜줬다. 같이 가자고 제안을 받았지만 그냥 잘 다녀오라고만 했다. 쇼핑몰에 가야 별로 살 것이 없기 때문이기도 했고 내가 끼게 되면 자기들끼리 편하게 얘기하면 되는데 나로 인해 불편함을 주는 것도 별로 내키지 않았다. 이것 저것 설명을 해주다 보니 내가 유럽에서 5 년을 살았던 얘기까지 나오게 되었다. 차를 빌리러 가려고 택시를 기다리는 친구들을 보면서 나는 방으로 올라온다. 방에서 이것 저것 하다가 아마도 이 동네 산책 정도를 나가지 않을까 싶다.